SYLVIE LOUIS

# Le journal d'Alice

DOMINIQUE ET COMPAGNIE

## Dimanche 4 janvier

Cher journal, j'ai sorti le beau cahier vert de ma table de chevet. Je viens de m'assoir à mon bureau. En effet, c'est aujourd'hui, le 4 janvier à 15 h 49, que j'inaugure ton tome 2! Comme Grand-Cœur miaulait à côté de ma chaise, je l'ai pris dans mes bras et je l'ai installé sur mes genoux. Mon bon pacha de chat, je l'aime tant!

Hier, papa m'a déposée chez Marie-Ève. Ma meilleure amie m'invitait à passer la fin de semaine chez elle.

Il faut dire qu'on ne s'était plus vues depuis l'an dernier, lors du dernier jour de classe. Quand j'ai appuyé sur la sonnette, je l'ai l'entendue dévaler l'escalier. Elle a ouvert la porte.

— Bonne et heureuse année, Alice!

— Merci! À toi aussi!

J'aime tellement la chambre de mon amie! Deux de ses murs sont bleu ciel et le troisième est blanc. Plusieurs *posters* des Tonic Boys les décorent. Les Tonic Boys, c'est notre groupe préféré. Au moins la moitié de la classe en est dingue. Surtout les filles! Il faut dire que le chanteur, Tom Thomas, est TROP mignon! Le quatrième mur, contre lequel se trouve le lit est blanc lui aussi. Il est orné de trois cercles bleus et de quatre cercles mauves de tailles différentes, placés un peu au hasard comme des méga-bulles de savon. C'est super mode!

En entrant, j'ai tout de suite vu le pouf bleu géant devant la fenêtre. J'ai dit :

— C'est nouveau, ça ?

— Oui. Je l'ai reçu de mon père pour Noël, a répondu Marie-Ève. Vas-y, essaie-le ! Je parie que tu n'auras plus envie de te relever !

Je me suis enfoncée moelleusement dans le pouf.

— Tu as raison ! me suis-je écriée. On est trop bien, dedans !

— Comme il est rempli de microbilles en styromousse, il épouse la forme du corps, a expliqué mon amie.

Changeant de sujet, je lui ai demandé :

— As-tu entendu le dernier disque des Tonic Boys ? Moi, depuis que je l'ai reçu à Noël, je n'arrête pas de l'écouter !

— Oui, a-t-elle répondu. Mon père l'a téléchargé sur mon iPod. Oh, en parlant de musique, figure-toi que j'ai découvert une nouvelle chanteuse. Elle s'appelle Lola Falbala. Ses chansons sont tellement cool !

— Aussi bonnes que celles des Tonic Boys ? ai-je demandé, sceptique.

— Encore meilleures !

— Pas possible !

— Je te le jure, Alice !

Elle a pitonné sur son iPod et moi, je lui ai fait une place sur le pouf.

— Écoute…

Ma meilleure amie avait raison ! Dès la première chanson, j'ai été conquise. Quelle voix d'ange ! On aurait dit que la musique coulait dans mes veines. Fascinée, je suivais le clip à l'écran. On y voyait la chanteuse qui marchait, sur un trottoir bordé de palmiers. ZOOM sur ses pieds bronzés chaussés de sandales argentées à talons aiguilles. Elle était vêtue d'une minijupe et d'un chandail argenté sans manches, très moulant. ZOOM sur les bracelets en argent qui tintaient à son poignet. Et sur celui qui ornait sa cheville. Elle était tellement branchée, cette chanteuse ! Mais surtout, quels cheveux ! Noirs comme les miens, mais pas du tout maigrichons ni raplapla, eux… Elle est arrivée sur un quai et s'est arrêtée face à la mer. On la voyait de dos. Les jambes légèrement écartées, la chanteuse a posé ses mains sur ses hanches. Puis, elle a tourné la tête vers nous, pendant que sa chevelure tournoyait au ralenti. Et voilà, la chanson était déjà finie.

— WOW ! me suis-je exclamée, impressionnée.

— Je le savais, Alice, que ça te plairait ! C'est Salomé, ma cousine de 14 ans, qui me l'a fait connaître pendant les fêtes.

— Dommage que je n'aie pas d'iPod touch ! ai-je soupiré. J'en avais demandé un à mes parents pour Noël. Mais finalement, tu sais ce que j'ai reçu ? Un pyjama Shrek et des pantoufles vert fluo assorties… Enfin, ils sont très confortables. Mais au moins, je pourrais acheter le CD de cette chanteuse. Elle s'appelle comment, encore ?

— Lola Falbala. Regarde.

Sur l'écran, Marie-Ève a fait apparaître la pochette du disque. La chanteuse y fixe l'objectif avec un sourire coquin. Dans le bas de la photo, en lettres fuchsia, c'était écrit : *Lola Falbala.* Et en lettres plus petites : *Sweet angel.*

On a écouté trois autres chansons. Puis, on s'est raconté nos vacances. Marie-Ève avait passé plusieurs jours à Ottawa chez son père. Réalisant que c'était la première fois que je revenais chez elle depuis la séparation de ses parents, je lui ai demandé :

— Comment tu t'y fais, à ta nouvelle vie ?

— Je commence à m'y habituer, a-elle répondu. Bien entendu, je rêve de trouver une baguette magique qui effacerait tout. Il suffirait d'un simple coup de baguette pour que mon père revienne vivre ici avec ma mère et moi. Et d'un deuxième pour que mes parents recommencent à s'aimer… Mais je sais que c'est impossible. Au moins, maintenant, maman est moins nerveuse que lorsqu'elle passait son temps à se chicaner avec papa. Et lui, il ne crie plus jamais. J'ai l'impression de retrouver mes vrais parents et ça, c'est quand même positif.

Vers 16 h 30, on est descendues dans la salle d'attente de l'institut de beauté. En effet, la mère de Marie-Ève est esthéticienne. En attendant qu'elle ait terminé avec sa dernière cliente de la journée, on a feuilleté des magazines *MégaStar*.

— Oh, un *poster* de Tom Thomas ! Je peux le détacher ? me suis-je empressée de demander.

— Bien sûr ! Tu peux même le garder, si tu veux.

La porte s'est ouverte. Une grosse dame en est sortie, suivie par madame Poirier, en tablier blanc.

— Bonjour Alice ! m'a-t-elle dit. Bonne année !

Elle m'a embrassée sur les deux joues et nous a fait entrer dans le salon de beauté. J'adore cette pièce! Je me rappelle encore la première fois que je suis venue ici, quand j'avais cinq ans. Émerveillée, j'avais l'impression de me retrouver dans la caverne d'Ali Baba! En effet, sur les étagères, il y a des tas de flacons plein de produits qui sentent bon, ainsi qu'une véritable collection de rouges à lèvres et de vernis à ongles.

— Maman, tu nous maquilles les yeux, s'il te plaît? a demandé mon amie.

— Avec plaisir, les filles!

Quel dommage de devoir se démaquiller! Mes yeux étaient si beaux avec l'ombre à paupières brillante, un peu de mascara et de crayon khôl! Quand je dors chez Marie-Ève, madame Poirier m'installe toujours un lit pliant à côté de celui de sa fille. Comme d'habitude, Marie-Ève et moi, on a papoté pendant des heures avant de s'endormir.

Vers 11 h ce matin, alors qu'on se faisait griller des toasts, Marie-Ève m'a proposé :

— Et si on allait au cinéma? As-tu vu *Cap sur la Voie lactée*?

— Le nouveau film avec Kevin Esposito? Non, pas encore. Mais Africa, chez qui j'étais avant-hier, m'a montré la bande-annonce sur l'ordi. Ça a l'air vraiment cool!

La mère de Marie-Ève était d'accord pour aller voir ce film en 3D. Au cinéma, la file était interminable au guichet. Quand on est enfin arrivées dans la salle, celle-ci était quasi pleine. Mon amie et moi, on a trouvé deux sièges côte à côte dans la première rangée. Madame Poirier, elle, a déniché une place libre au fond.

En sortant de la salle, Marie-Ève s'est écriée :

— Simon !

C'était bien le chum de ma meilleure amie qui arrivait.

— Salut Marie-Ève ! Salut Alice ! Vous avez vu *Cap sur la Voie lactée* ?

— Oui ! a répondu mon amie. Quels acteurs ! Et les effets spéciaux sont incroyables ! Et toi, tu vas voir quoi ?

— *Cap sur la Voie lactée* également. Mon père, ma sœur et moi, on va assister à la prochaine séance.

Je sentais que Marie-Ève, qui avait le rose aux joues, était gênée de retrouver Simon en présence de sa famille. D'autant plus que la mère de mon amie nous avait rejoints…

— Bon, on se voit demain à l'école ! a lancé Marie-Ève. Bye Simon !

— C'est un garçon de votre classe ? a demandé madame Poirier à sa fille.

— Oui.

— Il a l'air sympathique.

— Tu as raison maman, Simon est très sympathique, a répondu Marie-Ève.

Elle m'a fait un discret clin d'œil, puis a chuchoté à mon oreille :

— Très sympathique… et très beau !

— Et *très* amoureux ! ai-je ajouté tout bas, pour être sûre que sa mère n'entende pas.

On a pouffé de rire.

Madame Poirier m'a déposée à la maison. Je suis montée dans ma chambre avec l'intention d'afficher le *poster* du chanteur des Tonic Boys au-dessus de mon lit. Mais j'ai réalisé que mon idole aurait l'air **BIZARRE** sur fond de papier peint orné d'agneaux bondissant joyeusement par-dessus des arcs-en-ciel! Eh oui! cette tapisserie est là depuis ma naissance. C'était mignon quand j'avais trois ans. À la longue, j'ai fini par ne plus la voir. Mais à présent, je voudrais la faire disparaître comme par enchantement! Je ne suis plus un bébé, tout de même! Il est temps que j'aie, moi aussi, une chambre de style ado! Même si je rêve d'avoir un pouf comme celui de Marie-Ève, je ne vois pas où je le mettrais. En effet, l'été dernier, peu de temps avant la naissance de notre nouvelle petite sœur, Caroline a envahi ma chambre avec son lit, sa table de chevet et sa fameuse collection de cochons en peluche. Et puis, Grand-Cœur, mon chat, risquerait de faire ses griffes sur un pouf comme celui-là. Mais au moins, je voudrais repeindre ma chambre. En turquoise, par exemple…

Nouf-Nouf

Cochonnet

Betty

Emballée par cette idée géniale, je suis allée trouver mes parents au salon. Maman a soupiré :
— Peindre ta chambre, Biquette? Ça ne peut pas attendre l'an prochain?

Papa, en train de faire faire le rot à Zoé, m'a dit :

— Je comprends que tu en aies marre de ce vieux papier peint. Si tu veux, pendant les vacances, je t'aiderai à l'enlever et à peindre votre chambre.

— Les vacances, c'est maintenant ! ai-je déclaré.

— Les vacances de Noël se terminent ce soir, a précisé papa. Moi, je parlais des vacances d'été.

— L'été !!! Mais poupou, c'est dans une éternité !

Caro s'en est mêlée. Elle a décrété :

— Notre chambre, je voudrais la peindre en rose.

— Rose pâle ou rose vif ? lui a demandé papa.

— Ben, rose cochon ! a répondu ma sœur en haussant les épaules, comme si ça allait de soi.

MA chambre en rose cochon ? Non mais, il n'en était pas question ! J'ai aussitôt rétorqué :

— C'est moi qui ai pensé à peindre ma chambre et elle sera turquoise !

— Rose ! a renchéri ma sœur. C'est ma chambre aussi !

— Turquoise ! ai-je insisté.

— Vous êtes fatigantes, toutes les deux ! a soupiré maman. Arrêtez de vous chicaner. Vous allez faire pleurer votre petite sœur !

— On en reparlera cet été, a conclu papa. D'ici là, les filles, vous aurez certainement trouvé un terrain d'entente.

Ma sœur est têtue. Mais cette fois, je t'assure, cher journal, qu'elle N'AURA PAS le dernier mot ! En attendant, j'ai rangé ma précieuse affiche de Tom Thomas dans la garde-robe.

À 20 h, maman est venue border Caroline. Avant de refermer la porte de notre chambre, elle a lancé un joyeux :

— Bon appétit, ma Ciboulette !

Interloquée, ma sœur lui a répondu :

— Mais, maman… Je ne vais pas manger ! Je vais dormir !

— Oh là là, j'étais dans la lune ! s'est excusée maman. Je voulais plutôt dire : « Bonne nuit ! »

On a bien ri, toutes les trois ! Sacrée maman… Elle est plus distraite que jamais ! Je crois qu'elle est très fatiguée parce que notre bébé chéri réclame encore à boire chaque nuit.

Deux minutes plus tard, alors que je croyais Caro endormie, elle s'est brusquement redressée sur son lit. Elle a déclaré :

— Je **veux** une chambre rose ! Ou sinon, on garde le papier peint avec les moutons.

Oh non ! Ça n'allait pas recommencer… J'te jure, cher journal, qu'il y a des jours où je rêve d'être enfant unique !

## Lundi 5 janvier

— Bonne année, les amis ! nous a souhaité notre enseignant quand on est entrés en classe comme un troupeau d'élèves.

Il portait son tee-shirt bleu avec l'inscription 100 % COOL ! dans le dos. Je le lui avais offert le dernier jour avant les vacances.

— Vous allez me raconter ce que vous avez fait pendant votre congé, a-t-il proposé avec un grand sourire. Oui, Jonathan, tu peux commencer.

Une demi-heure plus tard, après que Catherine Provencher, la dernière, nous ait mis l'eau à la bouche en nous décrivant le festin que son père et elle avaient préparé pour le réveillon du Nouvel An, Africa a demandé :

— Et vous, monsieur Gauthier, comment avez-vous passé les fêtes ?

— Je suis allé dans ma famille, nous a-t-il expliqué. J'ai fait de la raquette et du ski de fond avec ma sœur et son copain. J'en ai profité pour prendre plein de photos de la Gaspésie sous la neige. Quand la nuit tombait, je ressortais de la maison pour observer le ciel au télescope. C'était beau à couper le souffle !

— Vous nous avez rapporté des galets ? a demandé Eduardo.

— Bien sûr !

En effet, depuis le début de l'année, notre enseignant distribue des cailloux arrondis et tout lisses aux élèves qui ont fourni un effort particulier ou qui ont pris une chouette initiative. Il les ramasse en bordure d'une rivière. Et avant de nous les donner, il les peint en couleurs.

Ensuite, comme chaque début du mois, monsieur Gauthier a procédé au changement de places. Il a sorti du tiroir de son bureau le sac en tissu rouge qui contient nos noms. Y plongeant sa main, il a annoncé :

— Audrey et Patrick : devant à gauche. Jonathan et Bohumil : devant au milieu. Eduardo et Catherine Frontenac : devant à droite. Africa et Éléonore : deuxième rangée à gauche.

Et ainsi de suite. Je me demandais bien avec qui j'allais être jumelée. J'espérais que ce soit avec Marie-Ève. Eh bien, non! Ma meilleure amie (qui rêvait de s'asseoir à côté de Simon ou de moi) se retrouve avec la petite Jade. Et moi, j'ai hérité de qui, cher journal? Je te le donne en mille... De l'horripilante Gigi Foster! Horreur absolue! Même si, depuis la première année du primaire, on a toujours été dans la même classe, je n'avais encore jamais eu la malchance d'être assise à côté de mon enne- *Gigi Foster* mie publique n° 1. Eh bien! C'est fait... Ça, c'est 100 % PAS COOL! À quoi ça sert, tous ces vœux de bonne année?! À rien, parce que pour moi, elle ne commence pas bien, l'année. Du moins à l'école.

*GRRR...*

Cet après-midi, monsieur Gauthier nous a demandé de composer une poésie sur la planète Terre.

— Je vous laisse une demi-heure pour y travailler. Ensuite, vous me la lirez.

J'ai pensé à oncle Alex, le jeune frère de mon père, qui parcourt le monde avec son appareil photo. Chaque fois qu'il part en reportage, je repère le pays visité sur la carte du monde qui se trouve dans ma chambre et j'y plante une punaise rouge. Résultat, je suis bonne en géographie. Mais surtout, ça me fait rêver... Justement, oncle Alex vient de partir pour la Nouvelle-Zélande. À Noël, il nous a expliqué que ce pays est constitué de deux grandes îles et de plein d'îles beaucoup plus petites.

— Tu sais où est l'Australie, Alice? m'avait-il demandé.

— Oui, enfin… à peu près.

— Eh bien, la Nouvelle-Zélande est située au sud-est de l'Australie. Même si les deux pays ont l'air d'être voisins sur une carte, ils sont distants d'environ 2 000 km !

— Alice, tu es dans la lune ! m'a dit monsieur Gauthier qui passait dans ma rangée. Il est temps de t'y mettre, à ton poème !

J'ai failli lui dire que je me trouvais dans l'océan Pacifique plutôt que dans la lune ! Il n'y a pas que ma mère qui est distraite ! J'ai malheureusement hérité de son gène de la distraction. J'ai donc composé ma poésie en m'inspirant des voyages d'oncle Alex. Ensuite, notre enseignant a demandé à Patrick, à Éléonore et aux deux Catherine de venir lire leur texte devant la classe. Quand Catherine Frontenac est revenue à sa place, monsieur Gauthier a dit :

— Alice, à ton tour !

Éléonore, qui avait obtenu 9,5/10 pour sa poésie, m'a jeté un regard supérieur. Cette fille, elle cherche toujours à être la plus belle et la meilleure en tout. Comme c'est une des meilleures élèves de la classe, elle y réussit souvent. Mais lorsque quelqu'un la surpasse, alors là, elle râle !

J'avais à peine commencé à lire quand BADABOUM ! J'ai fait un de ces sauts ! Jonathan venait de tomber de sa chaise ! Pfff… Toujours aussi remuant, celui-là ! Quand j'ai eu terminé ma lecture, monsieur Gauthier a déclaré :

— Alice, te voilà prise en flagrant délit… d'imagination débordante ! Tu t'es surpassée ! Ça mérite 10/10 et un galet.

Fouillant dans son sac, il en a sorti un caillou orange. Je suis allée le déposer dans le coffre aux trésors au fond de la classe. Il était presque plein. La prochaine fois que le prof récompensera l'un d'entre nous avec un galet, on ne sera plus capable de refermer le couvercle. Toute la classe méritera un privilège. J'adore notre enseignant! C'est un géant et, en plus, il est super costaud. Pas gros, non, mais beaucoup plus grand que papa qui est déjà grand. Et deux fois plus large. C'est sa première année d'enseignement et il a toujours plein d'idées géniales. En plus, c'est un prestidigitateur amateur. Un jour, comme privilège, on a eu droit à une vraie séance de magie en classe !

En sortant de la classe, Marie-Ève m'a demandé :
— Tu as vu la tête de Miss Parfaite quand tu as reçu ton galet? Elle boudait carrément.
J'ai pouffé de rire.
— Miss Parfaite… ai-je répété. Tu viens d'inventer le parfait surnom pour Éléonore !
Ma meilleure amie n'a pas l'habitude de se moquer des autres. Mais elle ne supporte pas Éléonore Marquis.

Quand on est rentrées de l'école, ma sœur et moi, maman est venue nous ouvrir. Elle avait notre bébé chéri dans les bras. Zoé a fixé Caroline d'un air émerveillé.
— Coucou Zouzou! lui a dit cette dernière.
Zoé s'est tordue de rire. Alors, Caro s'est brusquement rapprochée d'elle en s'écriant joyeusement :
— ZZzouzOUuuu ! ZZzouzouuuu !

Zoé a été prise d'un tel fou rire qu'elle en a eu le hoquet pendant une heure ! Difficile de croire que Caroline a été si jalouse d'elle à sa naissance !

Caro a demandé à maman :

— Le facteur est passé ?

— Non, ma Ciboulette. Pourquoi ?

— Ben, pour mon porte-bonheur ! À l'hôpital, l'infirmière avait promis qu'elle me l'enverrait dès qu'ils auraient fini les analyses de microbes.

Ce que ma sœur appelle son « porte-bonheur », c'est le pendentif en forme de papillon qui a failli lui coûter la vie juste avant Noël. Drôle de porte-bonheur ! Mais Caro est déterminée à porter ce bijou.

## Mardi 6 janvier

— Et mon porte-bonheur ? s'est informée ma sœur en arrivant à la maison cet après-midi. Il est arrivé ?

— Non, a répondu maman.

— Pas encore ?! s'est énervée Caro. J'espère que l'infirmière n'a pas oublié !

Changeant de sujet, ma mère m'a demandé :

— Peux-tu aller promener Zoé dans son traîneau, Biquette ? Elle n'a pas dormi de l'après-midi. J'en profiterais pour prendre une douche.

En revenant du parc, j'ai croisé notre gentille voisine qui sortait de chez elle.

— Bonjour ! madame Baldini. Bonne année !

15

— Merci Alice ! Tous mes meilleurs vœux à toi aussi !

Apercevant Zouzou qui dormait comme une bienheureuse dans son traîneau, elle a ajouté, en parlant plus doucement pour ne pas la réveiller :

— Oh, la petite Zoé ! *Mamma mia,* comme elle a grandi ! Et toi, tu vas bien, Alice ? Et ton chat ? Comment se fait-il qu'il ne vient plus miauler devant la porte de ma cuisine ? J'ai racheté des croquettes au poisson pour lui, mais depuis notre retour de Toronto, je ne l'ai pas encore vu. Je commençais à m'inquiéter.

Grand-Cœur a toujours été casanier. Ces derniers temps, j'ai remarqué moi aussi que c'est pire que jamais.

— Il est de plus en plus paresseux, ai-je expliqué. Il passe une bonne partie de ses journées à dormir sur mon lit. Il doit hiberner, j'imagine.

Madame Baldini a froncé les sourcils.

— Bizarre, a-t-elle dit. Les chats n'hibernent pas. Grand-Cœur manque peut-être tout simplement de vitamines. Demande à tes parents de lui en acheter. Oh, Alice, j'ai fait des biscotti, ce matin. Je vais t'en mettre quelques-uns dans un sac. Attends-moi un instant.

Chère madame Baldini ! Toujours aussi gentille ! Et ses biscotti aux amandes, sa grande spécialité, toujours aussi délicieux !

J'ai demandé à papa d'acheter des vitamines pour chat.

— D'accord, ma puce, a-t-il dit. Je passerai à l'animalerie.

## Mercredi 7 janvier

Madame Duval, notre enseignante d'éducation physique, nous a accueillis dans le gymnase. Elle est mince et pas très grande, tout le contraire de monsieur Gauthier. Heureusement, elle est cool, elle aussi. Ses cheveux sont teints en bleu! Elle n'a qu'un seul défaut : sa passion pour le basketball et le volleyball. Elle a d'ailleurs annoncé :
— Nous allons commencer l'année en beauté en jouant au volley! Eduardo et Gigi, vous allez former les équipes.

Comme d'habitude, j'étais la dernière à être choisie et Eduardo a bien été forcé de me prendre dans son équipe. Gigi Foster, elle, était ravie que je ne sois pas dans la sienne. À la fin du match, je me suis disputée avec Eduardo qui prétendait que j'avais fait perdre notre équipe. Pas moi toute seule, quand même! Il ne faut pas exagérer! Quand le ballon bondit par-dessus le filet et fonce sur moi, je suis épouvantée. Alors, je baisse la tête pour laisser quelqu'un d'autre l'attraper. Je regrette, mais je tiens à la vie, cher journal!

Ce soir, quand papa est rentré à la maison, maman a dit :
— Oh, Marc, tu t'es fait couper les cheveux! Tu es tout beau, comme ça!
— Merci, a-t-il répondu. Je suis passé chez monsieur Tony. Notre nouvelle directrice arrive demain. Je tiens à être impeccable. À propos, Astrid, as-tu repassé ma chemise bleue?

(Mon père travaille au centre-ville, dans une compagnie de téléphone.)

## Jeudi 8 janvier

Quand Marie-Ève m'a rejointe sous l'érable de notre cour d'école, ce matin, elle fredonnait : *Look at me ! Look at me Baby !*
— Tu chantes quoi ? lui ai-je demandé.
— Une des chansons de Lola Falbala. Depuis hier, elle me trotte dans la tête. À propos, Alice, tu as acheté son disque ?
— Pas encore. Je veux absolument y aller ce week-end !

Aujourd'hui, monsieur Gauthier portait à nouveau son tee-shirt 100 % COOL ! Ça veut dire qu'il lui plaît vraiment.

À 9 h 30 précises, le TIC-TIC-TIC-TIC-TIC des talons aiguilles de notre prof d'anglais s'est fait entendre dans le couloir. Madame Fattal, alias Cruella, est entrée en classe. Monsieur Gauthier, qui se préparait à sortir, nous a salués :
— On se revoit après la récré, les amis !
Il s'est dirigé vers la porte. Cruella, qui le suivait du regard, a écarquillé les yeux.
— 100 % COOL ! a-t-elle lu tout haut. Comment osez-vous porter une chose pareille à l'école, monsieur ?! C'est bon pour la plage ou la discothèque, mais certainement pas pour l'école où l'on enseigne à des jeunes !
Notre enseignant a fait volte-face.

— D'abord, ce n'est pas une *chose,* madame ! C'est un tee-shirt. Et puis, j'y tiens beaucoup. C'est un cadeau d'Alice.

— Alice Aubry vous a offert un chandail sur lequel il est inscrit 100 % COOL !?

Elle a braqué ses yeux sur moi comme si j'avais commis un crime. Puis, elle a poursuivi :

— Je n'en reviens pas ! Quel manque de respect envers son enseignant ! Jamais je ne tolérerais une chose pareille de la part de mes élèves, moi, monsieur ! Vous n'êtes pas obligé de le porter, ce… ce vêtement. Je vous rappelle que vous avez été engagé comme enseignant, et non comme animateur d'un camp de vacances !

— Mais j'aime mon tee-shirt ! a protesté notre enseignant. Il est non seulement sympathique, mais aussi confortable. Et je ne me priverai certainement pas de le porter à l'école ! Je travaille avec des jeunes de 10 et 11 ans, *madame.*

— Justement, *monsieur,* vous devriez leur montrer le bon exemple ! Je n'en reviens pas du laisser-aller des enseignants de la nouvelle génération !

Monsieur Gauthier nous a fait un clin d'œil et a quitté la classe.

Cruella

Une heure plus tard, on est sortis à l'extérieur pour la récréation. On s'est réunis sous l'érable.

— Eh bien ! On ne peut pas dire que la prof d'anglais revienne détendue de ses vacances ! a soupiré Catherine Provencher. Ça promet !

— Au contraire, elle est dangereusement en forme! a rétorqué Karim. Elle a fait le plein d'énergie pendant le congé
pour se montrer, dès le début de l'année, à la hauteur de
sa réputation : sévère et vieux jeu. Elle ne rate jamais une
occasion de critiquer monsieur Gauthier.

— Au moins, il ne se laisse pas faire! a dit Jade.

— Et toutes les occasions sont bonnes pour t'humilier, ma
pauvre Alice, a constaté Africa. Pourquoi elle te déteste
comme ça?

— Parce que je ne suis pas bonne en anglais et que mon
accent ne lui plaît pas.

— C'est pas une raison! a protesté Catherine Frontenac.

— Jamais je ne tolérerais une chose pareille
de la part de mes élèves! a lancé Patrick en imi-
tant la voix criarde de Cruella. Non mais! Comme si un
élève allait lui offrir un tee-shirt 100 % COOL! à
celle-là! Ça ne risque pas d'arriver!

On a tous éclaté de rire.


Une fois de plus, la première chose que Caro a demandé
à maman en revenant de l'école, c'est :

— Le facteur est passé?

— Bonjour quand même! a répondu maman. Et pour
répondre à ta question, oui. Ton enveloppe se trouve sur
ta table de chevet.

— Mon porte-bonheur!!! s'est écriée ma sœur en fonçant à
l'étage sans avoir pris le temps d'enlever son habit de neige.

C'était bien son pendentif en forme de
papillon. Elle l'a enfilé sur la chaîne qu'elle a
reçue à Noël. Il faut avouer que c'est très joli.

Ce soir, papa, vêtu de sa chemise bleue et de sa plus
belle cravate, est rentré tard.
— Comment ça s'est passé, Marc, avec ta nouvelle directrice ? lui a demandé maman.
— Très bien, a-t-il répondu. Elle a l'air épatante !
— Elle a l'âge de monsieur Tremblay ?
(Monsieur Tremblay, c'est l'ancien chef de papa qui a eu
une crise cardiaque pendant les fêtes. Heureusement, il va
mieux. Du coup, il va prendre sa retraite plus tôt que prévu.)
— Oh non, Astrid ! Sabine Weissmuller est plus jeune que
moi. N'empêche, elle semble avoir beaucoup d'expérience.
Je crois qu'avec elle, nous allons enfin développer un réseau
de vente en Asie. Elle vise particulièrement le Japon.
— Je suis contente qu'elle t'ait fait bonne impression, chéri.
Et maintenant, viens manger !
Puis, s'adressant à Caroline, elle a lancé :
— Stop avec le ketchup, Ciboulette !
En effet, ma sœur ne sait pas vivre sans ketchup, au grand
désespoir de maman qui est diététiste !

## Vendredi 9 janvier

La porte de la classe était close, ce matin. Bohumil a essayé
de l'ouvrir, mais elle était encore fermée à clé. Où était

monsieur Gauthier ? Deux minutes plus tard, on a entendu éternuer dans l'escalier. C'était notre enseignant.

— Bonjour les *abis*, a-t-il dit en parlant du nez. Je commence un *rhube* (traduction : un rhume).

En classe, il a annoncé :

— Je vais vous demander de faire un travail d'équipe en sciences de la TCHIIIE, euh ! en sciences de la nature. Voici les sujets : la coccinelle, l'escargot, la myTCHOUUU...

— C'est quoi la *mitchoue* ? a demandé Jonathan.

— Veux-tu bien ne pas m'interrompre ! s'est énervé notre prof.

D'habitude, notre enseignant est très patient, notamment avec Jonathan l'ouragan. Par contre, quand il est malade, c'est autre chose. Il s'énerve pour un rien !

Il a poursuivi :

— Donc, le troisième sujet est la myTCHIIIE !

J'ai dû me retenir pour ne pas éclater de rire.

— La mygale, a-t-il enfin réussi à dire. Les trois autres sujets sont la couleuvre, la fourmi et le scorpion.

Gigi Foster a levé la main.

— Oui ?

— C'est quoi encore, les deux ᵖremiers animaux, monsieur ?

— Bon, je vais vous les écrire au taaaaTCHOUM ! Au tableau. Mettez-vous en équipe de quatre et choisissez un sujet. Je vous laisse quelques minutes pour circuler dans la classe et discuter entre vous.

Je suis allée trouver Marie-Ève.

— J'adore les coccinelles !

— Moi aussi. On demande à Simon de se joindre à nous ?

— D'accord. Et à Africa ?

Mais Africa s'était déjà associée à Karim pour étudier la fourmi. Catherine Provencher voulait, elle aussi, parler des coccinelles. Elle avait déjà formé une équipe avec Catherine Frontenac, Jade et Éléonore.

— Moi aussi, je choisis la coccinelle, a déclaré Audrey.

Comme on ne parvenait pas à se mettre d'accord, monsieur Gauthier a déclaré :

— Audrey, Simon, Marie-Ève et Catherine Frontenac, vous ferez votre recherche sur la coccinelle. ÉléTCHOUM TCHAW ! Éléonore, Catherine Provencher, Gigi et Alice, vous vous occuperez de la mygale !

De la mygale ! Horreur absolue !

— Monsieur, je veux changer de sujet ! me suis-je écriée. J'ai une peur bleue des araignées !

Patrick a pouffé de rire. Jonathan a proposé :

— Je veux remplacer Alice. Moi, j'avais choisi la mygale !

Après s'être mouché bruyamment, monsieur Gauthier a conclu :

— Les équipes sont formées. On n'obtient pas toujours ce qu'on veut dans la vie. Mais je vous assure que tous les sujets sont passionnants !

Si notre enseignant avait été dans son état normal, jamais il ne m'aurait obligée à parler des araignées ! Et pas de n'importe lesquelles, en plus. Des araignées GIGANTESQUES, avec des pattes VELUES !

De quoi faire des cauchemars jusqu'à la fin de mes jours ! Mais quand il a un rhume, celui-là, il n'est vraiment pas drôle ! Et comme si ça ne suffisait pas, je vais devoir supporter Gigi Foster dans mon équipe ! Bref, on devra présenter notre sujet devant la classe. Nous, « les mygales », on passera le 21 janvier.

## Samedi 10 janvier

Ce matin, j'ai demandé à maman de m'amener chez le disquaire. Mais, comme il neige, elle refuse de prendre l'auto. D'après elle, les routes sont glissantes. Quant à papa, il était déjà plongé dans un dossier pour son boulot… Maman a dit :
— On verra demain, Biquette.
L'espoir fait vivre, cher journal…

Après le déjeuner, Zouzou a commencé à pleurer.
— Je vais me promener avec elle jusqu'à la bibliothèque, a annoncé maman. Pauvre Prunelle ! Elle commence à faire ses dents, je crois. Ça lui changera les idées. Vous nous accompagnez, les filles ?
— Oui ! a répondu Caroline.
— Et toi, Alice ? a demandé maman.
— Non.
— Tu ne vas tout de même pas bouder parce qu'on ne va pas au centre commercial aujourd'hui ?!
— Je ne boude pas ! Je suis juste bien ici.

En attendant de pouvoir écouter Lola Falbala, j'ai glissé mon disque des Tonic Boys dans le lecteur CD du salon. J'ai rejoint Grand-Cœur sur le sofa et je l'ai gratouillé derrière les oreilles. Il adore ça ! Moi, c'est la voix de Tom Thomas qui me donne des frissons.

Oh ! baby baby, you're far away and I miss you...
I miss you
I miss you so, my love
I miss youuuu...

Une heure plus tard, j'écrivais dans mon journal intime quand ma mère a fait irruption dans ma chambre.
— Tu pourrais au moins frapper avant d'entrer ! lui ai-je dit.
— C'est vrai, a-t-elle répondu. Mais toi, Alice, tu pourrais le demander poliment. Regarde, je t'ai rapporté une surprise de la bibliothèque.
Une bande dessinée des Zarchinuls ?!
— Le tome 12 ! me suis-je exclamée, retrouvant instantanément ma bonne humeur. Merci moumou !!!
Bref, cher journal, j'ai dévoré le dernier épisode de ma BD préférée. Et c'est réussi ! Les Zarchinuls sont plus drôles que jamais !

## Dimanche 11 janvier

En ouvrant les stores, ce matin, j'ai vu qu'il neigeait toujours.
— On peut aller chez le disquaire ? ai-je tout de même demandé à papa. Et en même temps, on en profitera pour

passer à l'animalerie. Tu te rappelles que Grand-Cœur a besoin de vitamines?

Malheureusement mon père a déclaré qu'avec cette tempête de neige, il n'était pas question de s'aventurer sur l'autoroute pour se rendre au Carrefour Laval. Bref, cher journal, mon disque de Lola Falbala, c'est pas encore pour aujourd'hui (gros soupir)! Pas facile de rester zen! D'autant plus qu'il faut bien que je m'y mette, à notre présentation sur les mygales… En effet, dans une semaine, notre équipe se réunira chez Éléonore pour y travailler. Moi, je suis chargée de trouver des informations sur l'habitat et l'alimentation de ces araignées. Allez, courage, Alice Aubry… Direction l'ordi, à la recherche de sites spécialisés sur les mygales! Rien qu'à y penser, ça me donne la chair de poule.

Ce soir, je jouais aux cartes avec ma sœur quand papa a éclaté de rire dans sa chambre. Ma parole, il hurlait de rire! Qu'y avait-il de si comique? Maman a protesté gentiment:
— Voyons, Marc! Tu vas effrayer Zoé!

Puis, elle aussi s'est mise à rigoler. Subissaient-ils une attaque de gaz hilarant? Se chatouillaient-ils à mort? Intriguées, ma sœur et moi on a accouru. Mes parents étaient assis dans leur lit. Maman allaitait l'imperturbable Zoé. Et papa? Il était en train de lire en se tordant de rire. Quand j'ai aperçu la couverture de son bouquin, j'ai compris! À son tour, il était plongé dans *Les Zarchinuls en folie!*

## Jeudi 15 janvier

Jade, qui a reçu un galet mauve, est allée le déposer dans le coffre aux trésors. Elle a annoncé :
— Il est plein !
Le prof a déclaré :
— D'habitude, pour vos privilèges, je m'inspire des suggestions que vous m'avez remises au début de l'année. Cette fois-ci, il m'est venu une idée. Il faut que j'en parle avec monsieur Rivet, mais ça ne devrait pas poser de problème.

Cet après-midi, il nous a annoncé :
— Le directeur m'a donné le feu vert pour le privilège de demain ! Pour participer, chacun devra apporter une montre. Vérifiez qu'elle soit à l'heure !
— Qu'est-ce qu'on va faire avec une montre ? a demandé Bohumil, perplexe.
— Surprise ! a répondu monsieur Gauthier.

Simon n'était pas là aujourd'hui. Marie-Ève a dit :
— Il doit être malade. Je lui téléphonerai tout à l'heure pour prendre de ses nouvelles. Je t'appellerai après, Alice.
— D'accord, à ce soir !

On finissait le dessert quand le téléphone a sonné. Caro s'est levée de table, mais j'ai crié :
— Non, c'est pour moi ! C'est Marie-Ève !
Me précipitant sur le combiné, j'ai lancé un joyeux *Allooo !*
À l'autre bout du fil, une voix inconnue m'a répondu :

— Bonsoir, c'est Sabine Weissmuller. Je voudrais parler à Marc Aubry.

Surprise, j'ai dit :

— Euh ! je vais l'appeler. Ne recrachez pas, s'il vous plaît. Euh !… ne raccrochez pas.

Caro a pouffé de rire. Moi, j'étais super gênée. Pour qui elle va me prendre, la nouvelle chef de papa ? Il y a des jours où j'en ai vraiment ras-le-bol d'être distraite !

Quelques minutes plus tard, la sonnerie du téléphone a retenti à nouveau. Cette fois, c'était bien Marie-Ève. Simon a mal à la gorge. Il reviendra lundi, s'il est guéri.

## Vendredi 16 janvier

Vêtu de son tee-shirt 100 % COOL !, monsieur Gauthier nous a dévoilé notre privilège.

— Nous allons jouer une méga-partie de cachette dans l'école.

On s'est tous regardés, incrédules. Puis, on a crié en choeur YÉÉÉÉÉ !

Notre enseignant a poursuivi :

— Monsieur Rivet et madame Duval sont au courant. Regardez bien les cinq règles que j'ai écrites au tableau.

Et il les a lues à voix haute :

1. On a le droit de se cacher partout, sauf dans les classes.
2. On ne fait pas de bruit.
3. On ne court pas.

4. On ne sort de l'école sous aucun prétexte, même pas dans la cour.

5. Si à 9 h 20, on ne vous a toujours pas trouvés, c'est que vous êtes parmi les gagnants! Quittez votre cachette et revenez à la case départ, c'est-à-dire en classe.

— Tout le monde a une montre? a demandé notre enseignant.

Zut! J'avais oublié la mienne! Tout comme Eduardo.

— J'ai apporté trois vieilles montres qui fonctionnent, nous a dit monsieur Gauthier. Prenez-en une. J'attendrai cinq minutes en classe avant de partir à votre recherche. Imaginons que je commence par trouver Karim. Il m'aidera à chercher les autres. Et si on découvre Audrey, elle aussi fera partie de notre équipe de recherche. Et ainsi de suite.

— Mais, monsieur, comme vous êtes magicien, vous allez tous nous trouver! a signalé Africa.

— Tu as raison. Si j'utilisais ma baguette magique, il n'y aurait pas beaucoup de suspense. Comme je l'ai laissée chez moi, pas de problème. Bon, vous êtes prêts, les amis?

— Ouiiiiiii!

— Chuuut! a fait monsieur Gauthier en mettant un doigt sur ses lèvres. Monsieur Rivet a bien demandé qu'on ne dérange pas les autres classes! Allez-y. Et que les meilleurs gagnent!

Jonathan a filé comme une flèche en direction de l'escalier. Je l'ai descendu à mon tour avec Marie-Ève.

— Tu as une idée où te cacher? m'a-t-elle demandé.

— Au sous-sol. Et toi?

— J'aurais aimé me cacher avec Simon. C'est vraiment dommage qu'il soit absent !

— Vous vous seriez dissimulés dans un petit coin secret pour vous bécoter ! ai-je dit à la blague.

Marie-Ève a poussé un profond soupir.

— On ne sait jamais… a-t-elle répondu.

Puis, sortant de sa rêverie, elle a déclaré :

— D'après monsieur Gauthier, on peut se cacher partout, sauf dans les classes. Alors, pourquoi pas chez le directeur ? Je vais lui demander s'il accepte que je me dissimule dans son bureau. Bonne chance, Alice, et à tout à l'heure !

Au sous-sol, j'ai croisé Patrick et Eduardo. Ils se sont glissés dans deux casiers voisins. Dans la pénombre, je me suis dirigée vers le fond de la salle. J'ai ouvert une grande armoire métallique. La main qui en a jailli a violemment repoussé mes chevilles ! J'ai poussé un gémissement de terreur.

— Arrête de crier comme un bébé ! a soufflé Gigi Foster. Tu vas nous faire repérer. Et va-t-en ! Ici c'est MA cachette à MOI !

Comme si j'avais envie de me cacher avec elle ! Pfff… J'ai repéré un escalier en colimaçon. Le cœur battant, j'ai grimpé les marches. En haut, il y avait une porte. J'y ai collé mon oreille. Tout était silencieux. Alors, j'ai entrebâillé la porte. Personne, la voie était libre. Mais je me trouvais où ? Ah oui ! dans le local où les profs font les photocopies. Je m'étais à peine faufilée derrière l'autre porte, celle qui mène au couloir de la cafétéria, quand j'ai entendu des pas s'approcher… La porte s'est ouverte toute grande, manquant de m'écraser. Heureusement que je suis mince !

J'ai entendu Bohumil déclarer :

— Personne derrière la photocopieuse.

Et Catherine Frontenac ajouter :

— Dans l'armoire non plus.

Moi, je retenais mon souffle.

— Bon, alors, poursuivons notre recherche, a dit monsieur Gauthier.

Ils sont partis en refermant la porte.

Ouf! J'ai consulté la montre que m'avait prêtée notre enseignant. Encore 18 minutes avant la fin du jeu. J'ai pensé à Marie-Ève qui devait se trouver dans le bureau de monsieur Rivet, si celui-ci l'avait autorisée à s'y cacher. Personne ne songerait à venir la chercher chez le directeur! Moi aussi j'avais trouvé une bonne cachette. Heureusement, sinon, avec le chandail rouge que je portais aujourd'hui, on m'aurait immédiatement repérée! Et, quand j'y pense, j'étais mieux ici qu'au sous-sol! Car, en bas, il y a des toiles d'araignée. Sans compter l'horripilante Gigi Foster!

Quelqu'un est passé dans le couloir. Deux minutes plus tard, un TIC-TIC-TIC-TIC-TIC caractéristique m'a fait dresser l'oreille. Horreur absolue! Les talons aiguilles de Cruella! Pourvu qu'elle ne vienne pas ici! Mais elle est entrée.

TIC

TIC

les talons aiguilles de Cruella

TIC

TIC

TIC

31

Je me suis aplatie derrière la porte. La prof d'anglais a allumé la photocopieuse. Moi, je n'osais presque plus respirer. Malgré ça, mon cœur battait super fort dans ma poitrine. J'avais peur que ce BOUM-BOUM-BOUM-BOUM qui résonnait dans mes oreilles comme un tambour ne me trahisse ! Heureusement, l'appareil émettait un ronron régulier et un son aigu chaque fois qu'une feuille de papier en sortait. J'espérais si fort que Cruella ne m'aperçoive pas. Et surtout qu'elle s'en aille ! Mais elle, elle n'arrêtait pas de soulever le couvercle de la photocopieuse et d'y glisser de nouvelles feuilles. Au bout d'interminables minutes, elle a fini par l'éteindre. Puis, TIC-TIC-TIC-TIC-TIC, elle s'est dirigée vers la porte et…

— **HAAAAAA !**

On a hurlé toutes les deux.

— *My Goodness !* s'est-elle exclamée en portant une main à son cœur. Alice Aubry ! Tu m'as fait une de ces peurs ! Tu sèches les cours, maintenant ? Et tu espionnes les enseignants ? De mieux en mieux !

Me saisissant par le poignet, elle m'a traînée dehors.

— Mais, madame, on joue à ca…

— Taratata ! m'a-t-elle coupée. Tu t'expliqueras devant le directeur. Cette fois, ma fille, ton compte est bon !

Justement, monsieur Rivet sortait de son bureau.

— C'est vous qui avez crié, madame Fattal ? a-t-il demandé d'un air inquiet. Je venais voir ce qui se passait.

— J'ai surpris Alice Aubry dans le local de la photocopieuse ! a déclaré Cruella, hors d'elle. Elle se dissimulait derrière la porte. J'aurais pu être victime d'un arrêt cardiaque! Cette élève devrait se trouver en classe. J'espère, monsieur Rivet, que vous prendrez les mesures qui s'imposent!

Moi, je massais mon poignet endolori. Les ongles de Cruella y avaient laissé des marques rouges.

— Oh, madame Fattal, j'aurais dû vous prévenir! a déclaré le directeur d'un air désolé. Monsieur Gauthier a organisé une partie de cache-cache avec ses élèves dans toute l'école, excepté dans les classes, évidemment.

— Une partie de cache-cache! a répété Cruella, scandalisée.

— Oui, c'est un des privilèges que notre jeune enseignant accorde de temps à autre à ses élèves. Je lui ai donné la permission. À condition, bien entendu, que tout se passe discrètement. Je suis allé faire un tour dans les couloirs et je dois dire que je n'ai à me plaindre de rien. Alice avait le droit de se cacher dans ce local.

Cruella était visiblement déçue que notre directeur ne me punisse pas sévèrement, comme elle l'avait espéré. Au moment où elle tournait les talons, j'ai aperçu un jeans et des chaussures noires dépasser du manteau suspendu au porte-manteau, à côté de la porte. C'était Marie-Ève!

— Je suis désolé pour ce malentendu, Alice, m'a dit le directeur. Écoute, il n'est que 9 h 13. Tu as encore le temps de te trouver une nouvelle cachette.

À cet instant, la porte du couloir s'est ouverte. C'était monsieur Gauthier et son équipe de recherche! D'un instant à l'autre, ils allaient envahir la pièce. Paniquée, j'ai regardé monsieur Rivet. Il m'a désigné le fauteuil près de la fenêtre. Me précipitant derrière le fauteuil, je me suis accroupie. Il était temps!

— Bonjour monsieur Rivet, a dit notre enseignant. Il me manque encore neuf élèves. Mes détectives et moi, on venait voir, si, par hasard, un fugitif de la classe de 5ᵉ B ne se serait pas mis à l'abri chez vous.

— Là! s'est écrié Karim. C'est Marie-Ève!

— Plus que huit, les amis! a lancé monsieur Gauthier. Dépêchons-nous! Il nous reste le gymnase à inspecter. Ensuite, ce sera l'heure de remonter en classe.

Ils ne m'avaient pas trouvée! Notre directeur était vraiment cool d'avoir joué le jeu et de m'avoir permis de me dissimuler dans son bureau! Sans compter qu'il avait également donné refuge à Marie-Ève!

— Tu peux sortir de ta cachette, m'a-t-il dit. Ils sont partis.

Je suis remontée en classe. Monsieur Gauthier a dit:
— Bravo, Alice, Eduardo, Patrick et Jade! Avec Jonathan, vous êtes cinq à avoir échappé à notre formidable équipe de limiers. On va l'attendre avant de commencer la leçon de maths.

Il a sorti un paquet de bonbons et on s'est rués dessus comme une bande d'affamés.

Deux minutes plus tard, le sac était vide. Jonathan n'était toujours pas là. Monsieur Gauthier avait l'air embêté.

— Il a dû oublier de regarder sa montre, a-t-il dit. J'espère qu'il n'est pas sorti de l'école…

Avec Jonathan l'ouragan, on ne peut être sûr de rien…

— Dommage, finalement, que vous n'ayez pas votre baguette magique avec vous, a soupiré Africa.

Retrouvant le sourire, notre enseignant lui a répondu :

— C'est vrai, elle aurait été bien utile ! Écoutez les amis, je vous distribue une feuille d'exercices. Vous allez travailler tranquillement. Moi, je pars à la recherche de Jonathan.

À part Éléonore qui parvenait à se concentrer sur ses fractions, personne d'autre n'avait la tête à ça.

— Tu crois que Jonathan est sorti dans la rue, toi ? m'a demandé Catherine Frontenac.

— Je n'en sais rien, ai-je répondu. Si c'est le cas, j'espère qu'il ne s'est pas fait écraser ! Tu sais bien qu'il fonce toujours tête baissée, sans réfléchir.

— Tu as raison, Alice, a dit Karim, derrière moi. Il vaudrait mieux appeler la police !

Où se trouvait donc Jonathan ? D'accord, être dans la classe de quelqu'un qui ne tient pas un instant en place, ce n'est pas de tout repos ! Sans compter qu'à la récré, il se bagarre souvent avec les gars de 5e A et de 6e ! Mais nous, les 5e B, on l'aime bien quand même, notre Jonathan. Il nous fait souvent rire. Si jamais ce privilège tournait mal, ce serait fini. On n'aurait plus droit à des récompenses aussi palpitantes ! Et monsieur Gauthier aurait sans doute des ennuis… Cruella savourerait sa victoire dans la bataille qu'elle mène depuis le début de l'année contre les méthodes pédagogiques de son jeune collègue ! Elle serait trop contente de prouver une fois pour toutes à notre directeur que non seulement celles-ci ne valent rien, mais, qu'en plus, elles mettent les élèves en danger. Elle en profiterait certainement pour exiger que monsieur Rivet renforce la discipline à l'école des Érables. Et si monsieur Gauthier était renvoyé ? Oh, non ! Il est unique, notre enseignant ! Quelle déception ce serait de poursuivre l'année avec une remplaçante ! Alors que je ruminais ces sombres pensées, des pas ont résonné dans le couloir.

Jonathan a surgi dans la classe. Ses vêtements et ses cheveux ébouriffés étaient poussiéreux. Il était suivi par monsieur Gauthier, visiblement soulagé d'avoir retrouvé son élève égaré. Patrick s'est écrié :
— *Yo man*, t'étais où ?
— Dans le local de rangement, à côté du gymnase ! a répondu Jonathan, fier de lui. J'ai grimpé à une échelle. Quand je me suis couché sur la plus haute des étagères, l'échelle est tombée. BADABOUM ! Heureusement, y avait personne sinon on m'aurait tout de suite repéré !
— Mais comme l'échelle était à terre, tu étais coincé en haut ?! a dit Eduardo.
— Ouais ! Pas grave, l'essentiel, c'était que personne ne me trouve !
La cloche de la récré a sonné.

— Et comment vous l'avez découvert, monsieur Gauthier ? a demandé Gigi Foster.

— Quand j'ai voulu entrer dans le débarras, je n'ai réussi qu'à entrouvrir la porte, a raconté notre enseignant. Elle était bloquée. J'ai trouvé ça bizarre. J'ai appelé Jonathan. Silence total. Alors, j'ai pensé à le prévenir, s'il se trouvait bien là-dedans, que le jeu était fini. Il m'a répondu, mais sa voix venait de très haut. Je suis arrivé à pousser la porte, du moins suffisamment pour entrer. J'ai allumé la lumière. C'est alors que j'ai aperçu votre ami à quatre mètres du sol! J'ai redressé l'échelle, afin qu'il puisse descendre.

— Tu n'as pas eu peur qu'on ne te retrouve pas? a demandé Catherine Frontenac à Jonathan.

— Non, a-t-il répondu en haussant les épaules. Et puis, si je le voulais, je pouvais toujours sauter!

Quoi! Sauter d'une hauteur de quatre mètres, dans l'obscurité la plus totale?! Sans compter l'échelle qui se trouvait à terre et sur laquelle il aurait atterri… Quelle horreur! Jonathan aurait pu être sérieusement blessé! Ou pire… Enfin, bref, cher journal, on l'a échappé belle!

En rentrant de l'école, j'ai demandé à maman :

— On y va demain, chez le disquaire?

— Demain, ce ne sera pas possible, Alice. Tu as oublié que tes grands-parents viendront passer la journée avec nous.

Je suis toujours heureuse de voir grand-maman Francine et grand-papa Benoît, mais j'aurais préféré qu'ils nous rendent visite un autre jour. J'ai tellement envie d'écouter le disque de Lola Falbala! C'est frustrant.

# Samedi 17 janvier

J'ai passé l'après-midi sur Internet en compagnie des mygales… Heureusement, grand-papa m'a aidée à trouver les informations qui me manquaient. Lui et grand-maman sont repartis vers 16 h. Je me préparais un bon chocolat chaud quand maman est arrivée dans la cuisine. Elle a ouvert le frigo.

— Oh, il ne reste plus de lait de soya ! Alice, tu m'accompagnes au supermarché ? On en profitera pour acheter des bananes et des céréales.

Du salon, Caro a crié :

— N'oubliez pas le ketchup ! La bouteille est presque vide.

Dans l'auto, j'ai demandé à maman :

— On pourrait d'abord passer chez le disquaire ?

— L'heure de fermeture des magasins approche. Je n'ai aucune envie d'être coincée dans un embouteillage, en sortant du centre commercial.

Pfff… Avec ma mère, c'est JAMAIS le bon moment !

Au supermarché, je suis allée choisir des céréales. Devant un échafaudage de grandes boîtes, une pancarte annonçait :

**Craquez pour les Crocolatos, les nouvelles céréales irrésistibles ! Et recevez le tee-shirt de Lola Falbala !**

Sur les boîtes, on voyait un crocodile ouvrir son énorme gueule pour dévorer des céréales en forme d'étoiles chocolatées. Et en bas à droite, une photo de la jolie chanteuse. Retournant la boîte, j'ai lu : « Participez et recevez le tee-shirt ultra-moulant de Lola Falbala ! »

Une boîte de Crocolatos à la main, j'ai couru rejoindre maman. Elle était absorbée dans la contemplation de son rayon préféré, celui des laits de soya. Elle passe son temps à nous répéter que le soya et le tofu sont excellents pour la santé. Mais elle est bien la seule de la famille à aimer ça ! Zoé a de la chance : elle est encore trop petite pour que maman lui refile un *milk-shake* banane-tofu !

— On peut acheter ces céréales ? ai-je demandé à ma mère en lui montrant la boîte avec le crocodile.

— D'accord Biquette, m'a-t-elle répondu distraitement.

Pour une fois, ma diététiste de mère n'a pas consulté la liste des ingrédients sur la boîte de céréales. Heureusement, parce que ça n'a pas l'air d'être le genre de céréales aux grains entiers qu'elle aime…

Une fois à la maison, j'ai déchiffré, à l'arrière de la boîte de Crocolatos, non pas la liste des ingrédients, mais les conditions de l'offre. Pour obtenir le tee-shirt ultra-moulant de Lola Falbala, il suffit de collectionner 40 points Star. On les trouve sur le côté de la boîte. Dans une étoile argentée est inscrit le chiffre **5**.

Je rêve de porter ce superbe tee-shirt et je vais tout faire pour l'obtenir ! Tout, c'est-à-dire déjeuner pendant des semaines avec ces céréales, puisqu'il faut en consommer huit boîtes pour réunir les points nécessaires. Ça fera changement du pain au blé entier que maman achète ! Comme j'avais un petit creux, j'ai ouvert la boîte et…

— MIAOU ! MIAOU !

Grand-Cœur est venu se frotter contre mes chevilles.

— C'est pas une boîte de croquettes pour chat ! lui ai-je dit. Mais si tu en veux, des croquettes au thon, je t'en verse dans ton bol.

Après l'avoir nourri, j'ai plongé la main dans la boîte de Crocolatos et j'ai commencé à grignoter les étoiles chocolatées. Quel délice, comme dirait Catherine Provencher !

Caroline est arrivée. Je lui ai demandé :

— Tu veux goûter les nouvelles céréales ?

— Ne vous coupez pas l'appétit, les filles ! a dit maman. On va bientôt souper.

Pour réunir plus vite mes points Star, j'ai convaincu ma sœur de manger des Crocolatos chaque matin.

— À une condition, a-t-elle déclaré. Quand on aura tes 40 points, tu m'aideras à accumuler d'autres points. Comme ça, moi aussi j'aurai un tee-shirt de Lola Falbala. Il ira bien avec mon pendentif porte-bonheur !

N'ayant aucune envie que ma sœur porte le même tee-shirt que moi, je lui ai dit :

— Tu sais, Caro, ce genre de chandail, c'est pas pour les filles de sept ans.

Elle m'a répondu du tac au tac :

— D'abord, j'ai pas sept ans, mais bien sept ans, huit mois et neuf jours ! Et puis, le temps de collectionner les points et de recevoir mon tee-shirt, j'aurai huit ans. Alors, tu promets, oui ou non ?

— Oui. OK. Pfff…

*Papa nous a prises en photo !*

## Dimanche 18 janvier

Il a encore neigé cette nuit. J'avais rendez-vous à 13 h chez Éléonore pour finaliser notre recherche. En sortant de la douche, j'ai ouvert ma garde-robe. Qu'est-ce que j'allais bien mettre ? Pourquoi pas mon pantalon blanc ? Avec mon chandail turquoise.

J'ai décidé de me rendre à pied chez Miss Parfaite.

— Tu ne préfères pas que je te conduise ? a demandé mon père. La température a chuté. Le thermomètre indique – 12 °C et, en plus, il y a du vent.

— Non merci, poupou. Je vais bien m'habiller.

En fait, je tenais ABSOLUMENT à m'arrêter chez le dépanneur. Après la lasagne, maman nous avait servi une mousse à l'orange. Mais ce matin, je l'avais vue utiliser un paquet complet de tofu pour la préparer. Pour échapper à sa mousse suspecte, je m'étais privée de dessert. Ce qui explique que j'avais encore un petit creux. Une barre de chocolat à la menthe, voilà ce qu'il me fallait ! En plus, ça me remonterait un peu le moral. Parce que, franchement, l'idée de passer mon dimanche après-midi à discuter d'araignées avec Gigi Foster me déprimait complètement... C'est déjà assez pénible d'être assise à côté d'elle en classe !

19 h 42. Je viens de prendre la *troisième* douche de la journée. Je t'explique, cher journal. Donc, tout à l'heure, lorsque je suis sortie, j'ai effectivement été surprise par le froid. Je me suis dirigée d'un bon pas vers le dépanneur. Un peu plus tard, je marchais sur le boulevard Gouin en croquant le dernier morceau de chocolat quand un camion est arrivé à vive allure. Ses roues ont projeté une gigantesque vague de gadoue noire et glacée. J'ai été aspergée de la tête aux pieds. Horreur absolue ! Ce liquide infect dégoulinait sur mon visage et mon manteau. BEURK ! J'aurais voulu pleurer de rage et de désespoir.

J'avais très mal à la joue, là où la terrible claque de neige fondante m'avait frappée. Comme si ça ne suffisait pas, mon visage mouillé était en train de geler ! Sous mon pantalon blanc désormais gris-noir et détrempé, mes jambes aussi étaient glacées. Il fallait agir ! Au fond de ma poche, j'ai trouvé un mouchoir. J'ai essuyé ma bouche. Le mouchoir était gorgé de liquide noirâtre. OUACHE ! C'était vraiment répugnant ! Je me trouvais à une dizaine de minutes de chez moi, mais presque au coin de la rue d'Éléonore. Je n'avais donc pas le choix. J'ai piqué un sprint, cherché le numéro de sa maison, et enfin, sonné chez elle.

C'est Miss Parfaite en personne qui m'a ouvert. Quand elle m'a vue, ses yeux se sont écarquillés comme devant une vision d'horreur. J'ai cru qu'elle allait me claquer la porte au nez.

— C'est toi, Alice ? m'a-t-elle demandé d'un air incrédule.

Qui voulait-elle que ce soit ? Le père Noël ?

Elle a fait une grimace.

— Tu es dégoûtante !

Comme si c'était mon habitude de débarquer couverte de saleté chez les gens… Le visage figé par le gel, j'ai réussi à articuler :

— Je t'expliquerai tout, mais laisse-moi d'abord rentrer. Je suis frigorifiée.

Une voix de femme a crié :

— Éléonore, ma chérie, veux-tu refermer la porte, s'il te plaît ? Tu refroidis toute la maison. Et viens me présenter tes charmantes amies.

Oups !

— Maman, justement, il y a un problème avec Alice, a répondu Éléonore.

Madame Marquis est arrivée. Elle a ouvert de grands yeux, elle aussi. Mais quand elle a compris ce qui m'était arrivé, elle s'est montrée gentille et efficace.

— Pauvre de toi ! s'est-elle exclamée. Ce n'est vraiment pas drôle ! Écoute, enlève ton manteau, tes bas et ton pantalon dans l'entrée pour ne pas tout salir. Je vais te conduire à la salle de bain.

Elle m'a apporté deux serviettes de bain et m'a prêté un pantalon qui appartenait à sa fille. Heureusement, ma culotte et mon beau chandail turquoise étaient intacts ! Sous la douche, mes cuisses et mon visage gelés brûlaient. Je ne me suis jamais savonnée avec autant d'énergie ! Le shampooing sentait bon la clémentine. Après avoir séché mes cheveux , je suis sortie de la salle de bain. Je me sentais toute fraîche. Le jeans d'Éléonore était trop grand, mais bon, au moins, ça me dépannait. Le chocolat chaud que m'avait préparé sa mère a achevé de me réchauffer.

— Je peux en avoir un, moi aussi ? a demandé Catherine Provencher qui venait d'arriver.

Gigi Foster a sonné à son tour. Elle a ricané comme une hyène quand j'ai raconté ma mésaventure. Éléonore, elle, a gardé son air dédaigneux. Quel après-midi meuh meuh, j'te jure, cher journal ! Au moins, nous sommes prêtes à présenter notre recherche, mercredi. Lorsque papa est venu me chercher à 17 h, j'avais déjà remis mes vêtements. La mère d'Éléonore les avait lavés et séchés. Je ne sais pas comment elle a fait, mais mon pantalon est redevenu tout blanc !

# Lundi 19 janvier

Dans l'autobus scolaire qui nous conduisait ce matin au Planétarium de Montréal, j'ai raconté ma mésaventure d'hier à Marie-Ève. Puis, je lui ai parlé des Crocolatos et des points Star à collectionner.

— Justement, moi aussi je voulais t'en parler! a répondu mon amie. En rentrant d'Ottawa, hier, j'ai feuilleté le magazine *MégaStar* de février. À côté d'un article spécial Saint-Valentin sur Lola Falbala, il y avait une page de publicité sur la façon d'obtenir son tee-shirt en mangeant des céréales. J'ai demandé à ma mère d'acheter des Crocolatos.

On est revenus de notre sortie scolaire à midi. En début d'après-midi, monsieur Gauthier nous a demandé de composer une nouvelle poésie.

— Cette fois, je vous laisse le choix entre deux thèmes. En premier lieu, le ciel, les étoiles et les planètes, comme nous les avons vus au Planétarium. Ou alors, vous pouvez vous inspirer d'une personne de votre entourage. Un de vos amis, par exemple. Ou un membre de votre famille.

— Il faut que ça rime? a demandé Karim.

— Oui, je voudrais que vous fassiez des vers.

J'ai eu envie d'écrire un poème de science-fiction sur oncle Alex qui explorerait l'univers dans une navette spatiale, un peu comme Kevin Esposito dans *Cap sur la Voie lactée*. Cependant, j'avais déjà parlé de mon oncle voyageur dans ma poésie précédente. Devant moi, sur ma gauche, Éléonore s'est mise à écrire d'un air inspiré. Moi aussi, d'habitude, j'adore les compositions en français. Mais aujourd'hui, je me demandais bien de quoi j'allais pouvoir parler. À côté de moi, Gigi Foster mâchonnait son crayon d'un air de vache qui rumine. Alors, sans crier gare, l'inspiration m'est tombée dessus. BOUM ! J'ai écrit d'une traite :

*Gigi Foster est une sorcière*
*Elle me fait des misères*
*Elle me tape sur les nerfs*
*Elle me met en colère*
*Avec elle, je me sens tout à l'envers !*

J'ai jeté un coup d'œil à mon ennemie publique n° 1. Elle m'a lancé un regard noir. Apparemment, elle n'avait toujours pas écrit une ligne. Prenant bien soin de cacher ce que j'écrivais avec mon coude, j'ai poursuivi :

*Gigi Foster a un sale caractère*
*Une langue de vipère*
*Des yeux qui jettent des éclairs*
*Des pieds qui puent le camembert*
*Et le cerveau d'un vers de terre.*

Gigi Foster me désespère !
Qu'est-ce qu'elle peut me déplaire !
Elle est vulgaire
C'est une mégère
À la mine patibulaire.

Plus moyen de m'arrêter ! Cinq ans de frustration à me retrouver dans la même classe que cette peste faisaient courir mon crayon sur le papier. Tout le monde écrivait, même ma voisine ! Je suis repartie sur ma lancée :

Être assise à côté de Gigi Foster
C'est l'enfer, un vrai calvaire !
Quelle galère !
Cette fille me donne des ulcères
Et de l'urticaire.

En sixième primaire
Tout ce que j'espère
C'est que Gigi Foster
Parte au fin fond de l'univers
C'est une prière !

*Ou que lors d'une guerre nucléaire*
*Un Martien pulvérise ses molaires*
*Au laser*
*La voilà qui tombe au fond d'un cratère*
*Ci-gît Gigi Foster.*

Bon, je délirais complètement ! La guerre, c'est affreux. Et, en réalité, je ne souhaite aucun mal à cette fille. Je voudrais juste qu'elle change d'école. Mais j'avoue que ça fait du bien, de temps en temps, de se défouler ! Emportée par mon imagination, j'avais oublié monsieur Gauthier. Horreur absolue ! Le voilà qui était penché par-dessus mon épaule… J'ai aussitôt couvert mon poème avec ma main.

— Eh bien, Alice, quelle concentration ! s'est-il exclamé d'un air admiratif. C'est beau à voir ! J'aimerais que tu nous récites ta poésie.

J'étais pétrifiée.

— Voyons, ne soit pas si modeste ! a dit notre prof. Tu es douée en composition et tu n'as pas à en rougir ! Écoute, ne te lève pas tout de suite. Tu peux prendre le temps de terminer ton texte.

— Dépêchez-vous, les amis ! a-t-il ajouté à l'attention de toute la classe. J'espère que vous êtes aussi inspirés qu'Alice, car il ne vous reste que dix minutes !

Monsieur Gauthier s'est enfin éloigné. Fiouuu ! je l'avais échappé belle !!! J'ai discrètement glissé ma feuille au fond de mon sac d'école et j'en ai pris une autre. Bon, il me fallait revenir sur terre, et vite ! Parce que neuf minutes et trente secondes plus tard, j'allais devoir prouver à toute la classe que j'étais bel et bien la reine des rimes… Éléonore s'est retournée. Elle m'a regardée d'un air jaloux. Elle, elle aurait adoré lire son texte à voix haute devant les autres. Bon, plus une seconde à perdre ! En détournant mon regard, je suis tombée sur les tresses d'Africa, juste devant moi. Ça a fait TILT. J'ai rédigé un texte sur le soleil qui éclabousse la savane, les troupeaux d'éléphants, les girafes et les buffles qui viennent s'abreuver au lac, le soir, le son du tam-tam qui parvient, étouffé, du village voisin….

J'étais en pleine rédaction lorsque monsieur Gauthier a frappé dans ses mains.

— Le temps est écoulé. Alice, tu viens partager ta poésie avec nous ?

Je n'avais écrit que onze lignes. Je crois que si j'avais disposé de quelques minutes supplémentaires pour terminer mon poème et le retravailler un peu, il aurait été bon. Mais là, c'était un brouillon. Je n'avais même pas eu le temps d'imaginer une fin. Ma réputation allait en prendre un coup. Éléonore allait pouvoir garder l'illusion qu'elle était la meilleure en poésie. Enfin, tout ça était bien moins grave que si monsieur Gauthier avait découvert ma première « poésie » !

— Alors Alice, tu viens ? a répété notre prof.

Une fois devant la classe, j'ai respiré un bon coup. Essayant de maîtriser les tremblements de ma voix, j'ai commencé à lire. Quand j'ai eu terminé, j'ai relevé les yeux.

— C'est bien Alice, continue, a dit monsieur Gauthier pour m'encourager.

— Mais c'est fini.

Il s'est étonné :

— Déjà ?! Comme c'est étrange... J'aurais juré que ton texte était beaucoup plus long. Et puis, tu n'y parlais pas d'un cratère ? Ne s'agissait-il pas du Kilimandjaro ?

— Euh ! oui. Finalement, j'ai effacé ce bout de texte parce que ça ne rimait pas.

Notre enseignant a déclaré :

— Écoute, Alice, le thème que tu as choisi est très chouette, le début était prometteur, mais la suite a été expédiée à la hâte. Je te mets quand même 7,5/10. Éléonore, viens-tu nous lire ta poésie ? Et si nous avons encore le temps avant que la cloche ne sonne, ce sera au tour de Karim.

Éléonore, qui avait composé un poème sur la constellation de la Grande Ourse, a obtenu 9,5/10. En revenant à sa place, elle m'a jeté un regard supérieur.

Alors qu'on sortait de la classe, Africa est venue me parler :

— Merci, Alice, de m'avoir choisie ! Moi, j'ai bien aimé ta poésie. Elle m'a fait rêver à l'Afrique. Mes parents ont immigré à Montréal quand maman était enceinte de moi. Depuis, on n'est pas retournés dans notre pays. Mais un jour, c'est sûr, je voudrais aller au Sénégal !

Je comprenais mon amie. C'est comme si je n'avais jamais pu aller en Belgique, le pays de ma mère. Heureusement, j'y passe parfois mes vacances. J'ai dit à Africa :

— Je te le souhaite! En tous cas, mon oncle Alex dit que l'Afrique est un continent fascinant. Moi aussi, j'aimerais le découvrir un jour.

En descendant l'escalier, Marie-Ève m'a demandé :

— Pour une fois, tu n'étais pas inspirée pour ta poésie?!

— Oh si, je l'étais! ai-je soupiré. Beaucoup trop, d'ailleurs. C'était ça le problème…

Intriguée, elle a froncé les sourcils. Je lui ai dit :

— Ce n'est pas possible de t'expliquer ça maintenant. Je te raconterai tout ce soir au téléphone.

Ma meilleure amie devait se demander ce qu'il pouvait bien y avoir de si mystérieux dans cet exercice de poésie!

— Bon, à tout à l'heure, alors, a-t-elle dit en se dirigeant vers le local d'étude. Mais n'oublie pas de m'appeler, Alice! Je veux tout savoir! TOUT!

Ce soir, on finissait notre repas quand le cellulaire de papa a sonné.

— Allo! a-t-il dit en décrochant. Ah, bonsoir Sabine!

Il s'est levé et a quitté la cuisine.

— Pas encore sa nouvelle chef! a soupiré maman. Ça fait trois fois qu'elle téléphone à l'heure du souper! Décidément, je la trouve envahissante!

Papa est revenu à table. Après avoir englouti son dessert, il est sorti de la pièce.

— Mais, où est-il encore passé ? a demandé maman. Ça, c'est trop fort ! J'ai préparé le repas ; je m'attends à ce qu'il fasse la vaisselle ! Marc ! Maarc ! Maaaarc !

— Je suis à l'ordinateur ! a crié papa du bureau.

— Comment ça, à l'ordinateur ?! s'est étranglée maman. Et la vaisselle ?

Papa est revenu dans la cuisine.

— Ne me parle pas sur ce ton, Astrid ! a-t-il répliqué. Déjà que j'ai dû supporter la voix perçante de Sabine Weissmuller pendant notre rencontre au restaurant avec l'équipe ! Ma journée a été éprouvante. Je pensais au moins qu'à la maison, je pourrais me détendre !

Au lieu de plaindre son pauvre chéri et de lui proposer un comprimé d'aspirine, maman a rétorqué aussi sec, comme si elle lui renvoyait la balle de tennis à 200 km à l'heure lors de la finale d'un championnat :

— Eh bien moi, Marc, je n'ai pas eu l'honneur de manger au restaurant avec ta directrice ! À la place, je me suis occupée de Zoé qui était un peu fiévreuse parce qu'elle commence à faire ses dents. Pendant sa sieste, j'ai lavé les carrelages, repassé les chemises de monsieur et préparé une sauce à spaghetti ! Et je devrais, en plus, me taper la vaisselle tandis que monsieur, lui, il passe son temps à l'ordinateur ?!

Aïe, aïe, aïe ! La conversation virait vraiment à la dispute !

— Sabine Weis…, a protesté papa.

Maman l'a coupé.

— J'en ai assez de ta Sabine Weissmuller ! Dès que j'ai un reproche à te faire, tu t'esquives en rejetant la faute sur ta boss !

Ma mère est susceptible ces derniers temps. Elle s'occupe toute la journée de notre bébé chéri. Elle a beau l'adorer comme la prunelle de ses yeux, je vois qu'elle est très fatiguée. Et je crois aussi qu'elle s'ennuie un peu de son travail. Quant à papa, il a perdu son sens de l'humour. Caro est sortie discrètement de la cuisine. Moi aussi, je me suis éclipsée. Maman m'a rappelée :

— Alice, viens faire la vaisselle avec ton père ! Je vais donner le bain à Zoé.

Et moi qui avais encore un devoir de maths à terminer et notre recherche à étudier… Et Marie-Ève ! J'avais promis de lui téléphoner ! Mais bon, le ton de maman était catégorique. Pas moyen d'échapper à la vaisselle…

En essuyant le saladier, j'ai demandé à mon père :

— Elle est si terrible que ça, ta nouvelle chef ?

— Ça dépend des jours, a-t-il répondu. Quand il s'agit de préparer une rencontre avec des clients, elle est redoutable !

— C'est un peu comme Cruella ? me suis-je informée.

— Cruella ? a répété papa.

— Cruella d'Enfer, tu sais, l'horrible femme qui vole les chiots dans le film *Les 101 Dalmatiens*.

— Oui ! s'est exclamé mon père. C'est un peu ça, ma puce ! Sabine Weissmuller se transforme parfois en une véritable Cruella ! Cruella Weissmuller… Excellent !

J'ai failli dire à papa que chacun a sa Cruella, dans la vie, et que la mienne me persécute tous les jeudis à l'école. Mais je me suis retenue. Je ne sais pas comment il aurait réagi. Quand j'y pense, j'aurais très bien pu mettre, dans ma poésie :

*Gigi Foster*
*C'est la fille de Sabine Weissmuller*
*Et la nièce de Cruella d'Enfer !*

Le téléphone a sonné.

— Alice, c'est pour toi ! a crié Caroline. C'est Marie-Ève !

— Vas-y ma puce, m'a dit papa. Je terminerai la vaisselle.

Pas question que ma sœur surprenne notre conversation. Je me suis donc réfugiée au sous-sol.

— J'ai attendu ton coup de fil, Alice. Je finissais par me demander si tu ne m'avais pas oubliée, m'a dit mon amie.

— Mais non ! ai-je répondu en me laissant tomber sur le vieux sofa. On a mangé, mes parents se sont disputés, et j'ai dû faire la vaisselle avec mon père.

— Oh, j'espère que ce n'est pas trop grave ! s'est inquiétée Marie-Ève. Ils ne vont pas se séparer, quand même ?

— J'espère bien que non !

Cette idée n'avait jamais effleuré ma pensée. Quand même, on ne se sépare pas à cause d'un coup de téléphone au milieu du repas et de quelques casseroles et plats à laver !

— Bon, vas-tu enfin m'expliquer le mystère qui entoure ta poésie ? a demandé mon amie.

— D'accord ! À condition que tu me jures de ne rien dire, ni à Gigi Foster ni à personne !

— À Gigi ! Pour qui tu me prends, Alice ? Je ne parle jamais à cette fille !

— OK, ai-je dit. Eh bien, j'ai écrit un poème sur elle !

— Sur Gigi ! Tu blagues ou quoi ?

— Pas du tout.

— Mais, Alice, tu as toujours détesté cette fille ! Depuis quand elle t'inspire ?

— Écoute, Marie-Ève, tu n'as aucune raison d'être jalouse ! Quand tu entendras ma poésie, tu comprendras que ce n'est pas demain que Gigi Foster te volera la place de « meilleure amie » dans mon cœur !

Marie-Ève n'y comprenait plus rien.

— Ta poésie, elle faisait le portrait d'Africa et non de Gigi…

— J'ai commencé à écrire sur Gigi Foster, ai-je expliqué. Comme c'était impossible de lire ce poème en classe et de le remettre à monsieur Gauthier – tu comprendras bientôt pourquoi – j'ai caché mon premier texte. Je me suis dépêchée d'en composer un autre sur Africa. Mais comme je ne disposais que de très peu de temps, il n'était pas terminé, pas relu, pas révisé, bref pas fameux !

— Et la poésie sur Gigi, elle était fameuse, elle ?

— Dans un sens, je crois que oui.

La porte du sous-sol s'est ouverte. Maman a demandé :

— Alice, viens ranger le bazar dans ta chambre !

— J'arrive, ai-je répondu.

À l'autre bout de la ligne, Marie-Ève s'impatientait :

— Et alors, tu me le lis, ce chef-d'œuvre ?

— Désolée, ma mère m'appelle. D'ailleurs, je préfère que tu la découvres toi-même, ma première poésie. Je te la passerai discrètement à l'école.

Mon amie a soupiré :

— Bon, puisque je n'ai pas le choix… Mais tu as vraiment piqué ma curiosité au vif, Alice ! Essaie au moins d'arriver tôt, demain.

— Promis Marie-Ève. Bonne nuit !

Je suis montée dans ma chambre. Quel bazar ? Maman exagérait. Mais bon, elle n'était pas d'humeur à discuter. Alors, j'ai commencé par ranger mes albums des Zarchinuls. Chaque fois que j'en retrouvais un, je le posais sur la table de chevet de Caro, en attendant de tous les remettre à leur place, une fois que j'aurais fait le ménage de ma bibliothèque.

Justement, ma sœur arrivait de la salle de bain.

— Mon porte-bonheur ! s'est-elle écriée en se précipitant sur mes BD et en les lançant sur mon lit. Tu pourrais au moins y faire attention !

Pfff… elle commence à m'énerver, celle-là, avec son porte-bonheur ! Elle a minutieusement examiné son pendentif sur lequel j'avais empilé mes livres sans le faire exprès. Heureusement, il était intact.

## Mardi 20 janvier

Ma meilleure amie m'attendait de pied ferme sous l'érable.

— Bonjour Alice ! Vite, passe-moi ta poésie !

Comme un bandit s'apprêtant à faire un mauvais coup, j'ai regardé autour de nous. Patrick et Eduardo bombardaient de boules de neige Hugo et Ilhan, des gars de 5ᵉ A. Africa était en grande conversation avec les deux Catherine.

Quant à Gigi Foster, elle n'était pas encore là. Il n'y avait donc rien à craindre. Sortant la feuille de mon sac d'école, je l'ai tendue à Marie-Ève. Elle a commencé sa lecture. Ses yeux se sont arrondis de stupéfaction. Moi, je faisais le guet. Quand mon amie a eu terminé, elle s'est exclamée :

— Wow, Alice ! Elle n'est pas fameuse, ta poésie, elle est **géniale** ! Quel talent !

C'est alors que, comme un diable hors de sa boîte, Gigi Foster a surgi devant nous !

— Qu'est-ce que vous lisez de si intéressant ? a-t-elle demandé.

— Oh rien, rien du tout ! a répondu Marie-Ève en repliant prestement la feuille. Ça ne te regarde pas !

Avant que mon amie n'ait eu le temps de glisser mon poème dans sa poche, Gigi Foster s'en est emparée et s'est enfuie. Horreur absolue ! Marie-Ève et moi, on s'est précipitées à ses trousses.

— Rends-moi cette feuille ! Tu n'as pas le droit ! a crié Marie-Ève.

Manque de chance, Gigi court très vite. C'est toujours elle qui fait gagner son équipe dans les courses à relais. Cependant, il était hors de question d'abandonner ! Il fallait à tout prix récupérer mon texte, sinon mon ennemie publique n° 1 allait me ratatiner, m'écrabouiller, me pulvériser…

J'avais fait un tour complet de la cour sur les talons de Marie-Ève et loin derrière Gigi Foster quand quelqu'un a crié derrière moi :

— Vous jouez avec Gigi ?

C'était Karim. Hors d'haleine, j'ai répondu :

— Pas du tout ! Elle a volé ma feuille !

Karim a demandé :

— Et elle est importante, cette feuille ?

— Très importante ! S'il te plaît, Karim, aide-nous à la reprendre !

Karim a piqué un sprint. Dès que Gigi Foster s'est aperçue que son nouveau poursuivant était plus rapide que Marie-Ève et moi, elle s'est mise à zigzaguer pour le semer. Karim maintenait la cadence. L'espace entre eux diminuait, mais pas assez à mon goût.

À bout de souffle, j'avais ralenti le pas. Mais quand Gigi Foster est passée à quelques mètres de moi, je me suis précipitée sur elle. Pour m'éviter, elle a fait un écart. MIRACLE ! Elle s'est étalée de tout son long sur la patinoire que les élèves font à force de glisser toujours au même endroit. Avant que Gigi Foster ne reprenne ses esprits, Karim, rapide comme une flèche, lui a arraché la feuille pliée qu'elle tenait encore à la main. Il me l'a apportée avec un beau sourire.

— Et voilà ! a-t-il dit. À ton service, Alice !

— Oh, merci Karim ! me suis-je exclamée. Tu es un champion !

Si je ne m'étais pas retenue, je l'aurais embrassé !

La cloche a sonné. Karim m'a fait un clin d'œil, puis s'est éloigné pour aller chercher son sac d'école. Marie-Ève avait le feu aux joues d'avoir couru si longtemps. Mon cœur battait très fort, et pas seulement à cause de la course. J'avais eu tellement peur que Gigi Foster ne lise ma «poésie»! Ça aurait été terrible… Entretemps, elle s'était relevée. Tout en se frottant le dos, elle nous a jeté un regard noir.

— Vous me le paierez! a-t-elle lancé d'un ton menaçant.

Marie-Ève n'en revenait pas.

— Tu n'as vraiment pas exagéré dans ton texte! m'a-t-elle assuré alors qu'on grimpait l'escalier. Quelle peste, celle-là! Tu sais, je voudrais relire ta poésie, mais pas ici, c'est bien trop risqué. Tu me la prêtes pour que je puisse la lire à l'aise chez moi ce soir? Je te la rendrai demain.

Je la lui ai passée discrètement. Après l'avoir pliée en huit, elle l'a glissée dans la poche intérieure de son manteau qui ferme avec une fermeture éclair. Mon texte était en sûreté.

Bon, cher journal, il se fait tard. Je vais répéter une dernière fois mon texte pour notre présentation sur les mygales, et puis je me couche.

## Mercredi 21 janvier

Cette nuit, j'ai fait un affreux cauchemar. Je me trouvais dans un tunnel plein de toiles d'araignée. Pour avancer vers la sortie, j'étais bien obligée de les frôler. C'était l'horreur absolue! Je me suis mise à courir. Soudain, une énorme mygale a surgi devant moi. Elle avait la tête de Gigi Foster! J'ai eu si peur que ça m'a réveillée. Quel soulagement de réaliser que je me trouvais dans mon lit! Par précaution, j'ai quand même allumé ma lampe de chevet. J'ai inspecté mon lit. Pas la moindre araignée... À moitié rassurée, je me suis recouchée.

— MIAOU!

— Viens, Grand-Cœur, ai-je dit tout bas à mon chat.

Je me suis poussée pour lui faire une place. J'ai caressé son doux pelage et je me suis rendormie au son de ses ronronnements apaisants.

Notre présentation s'est bien passée. Monsieur Gauthier nous a donné 9/10. Mais je ne veux plus JAMAIS entendre parler de mygales! Quant à ma « poésie », Marie-Ève l'a oubliée dans sa chambre. Elle me la rapportera demain.

Cet après-midi, madame Duval avait organisé un parcours de huit étapes dans le gymnase. Elle a désigné des équipes de quatre. Je me suis retrouvée avec Jade, Africa et... Gigi Foster. Décidément... Après avoir fait deux roues sur le tapis, mon équipe et moi, on a couru vers l'étape suivante. Il fallait grimper à la corde attachée au plafond. En deux temps trois mouvements, Jade s'est hissée en haut, puis elle s'est laissée glisser jusqu'au sol. Pas étonnant, elle fait partie du club Gymnix et a déjà participé à des compétitions. L'exercice n'a posé aucun problème non plus pour la grande Gigi Foster.

Après les avoir complimentées, madame Duval m'a dit :

— À ton tour, Alice.

J'ai commencé à grimper, mais c'était vraiment difficile. La prof m'a encouragée :

— Oui, serre bien la corde avec tes mains et monte tes pieds ensemble. Voilà ! Maintenant, déplace une main après l'autre. Continue comme ça, Alice !

Elle s'est dirigée vers une autre équipe. Je me trouvais seulement à mi-hauteur, mais pour moi, c'était déjà très haut. J'ai eu la mauvaise idée de regarder en bas. Horreur absolue ! Ça m'a donné le vertige. Et j'ai vu Gigi Foster saisir l'extrémité de la corde. Elle a commencé à la secouer ! Je me suis agrippée désespérément à la corde pour ne pas tomber. Terrorisée, je me balançais à trois mètres du sol. Je me suis rappelé qu'hier, Gigi Foster avait promis de se venger. Apparemment, l'heure de la vengeance avait sonné !

— Arrête, Gigi ! a crié Africa. C'est pas drôle ! Tu vois bien qu'Alice a peur !

Gigi Foster a lâché la corde. J'en ai profité pour descendre, mais je l'ai fait si vite que la corde m'a écorché les mains.

Madame Duval, qui était accourue, a demandé :

— Que se passe-t-il, les filles ?

— Gigi a remué la corde pendant qu'Alice grimpait ! a expliqué Africa. Elle aurait pu tomber !

— Je voulais juste plaisanter ! s'est défendue la coupable.

— On sait que tu es bonne en éducation physique, Gigi, a déclaré la prof. Mais ça ne te donne en aucun cas le droit d'adopter un comportement dangereux ! Bon, on reprend tous là où on en était. À toi de grimper, Africa.

Je déteste Gigi Foster! Je vais compter les jours avant le changement de place en classe : 10...

## Jeudi 22 janvier

9... J'ai tellement de choses à te raconter, mon cher journal! En rentrant de l'école, j'ai foncé vers ma chambre et me voici!

— Tu es bien pressée, Biquette, m'a crié maman du bas de l'escalier. Tu as tant de devoirs que ça? Tu n'as pas envie d'une collation?

— Non merci, je n'ai pas faim! lui ai-je répondu en ouvrant mon cahier vert.

Bref, ce matin, quand Marie-Ève m'a remis ma poésie clandestine, je l'ai rangée dans mon sac. Pendant que monsieur Gauthier nous parlait de notre système solaire, j'ai pris la décision de jeter l'original de ma poésie, puisque je l'avais recopiée dans tes pages, cher journal. Mais pas question de m'en débarrasser à l'école. Je préférais attendre d'être à la maison. C'était plus sûr.

— Alice, peux-tu nommer une des nombreuses lunes de Jupiter? a demandé notre enseignant.

— Euh!... Mercure?

— Non, rappelle-toi, Mercure est la plus petite des planètes de notre système solaire. C'est aussi celle qui est la plus rapprochée du soleil. Les lunes de Jupiter dont je viens de vous parler s'appellent Io, Europe, Ganymède et Callisto. Tu es dans la lune, Alice! Et toi Simon, peux-tu me dire si les autres planètes de notre système solaire ont, elles aussi, des lunes qui tournent autour d'elles ?

Ramenée sur terre par notre prof, j'ai été attentive le restant du cours. L'univers, c'est vrai que c'est passionnant !

Au lieu de nous donner cours à 9 h 30, comme tous les jeudis, Cruella est venue en classe à la dernière période de l'après-midi. Elle nous a demandé d'ouvrir notre livre à la page 72. Sujet : les moyens de transport. Déjà que ça ne me passionne pas en français, mais alors en anglais… Cependant, je sentais que Cruella m'avait à l'œil. Je m'efforçais de suivre la leçon : *The yellow car rides on the road. The big airplane flies in the sky.*

Tout à coup, la prof s'est arrêtée net. TIC-TIC-TIC-TIC-TIC, elle s'est mise en marche. Ma parole, elle fondait vers moi ! Au secouuurs ! Qu'est-ce que j'avais bien pu faire de mal ? Arrivée à côté de mon bureau, elle s'est accroupie et… Oh non ! C'était un mauvais rêve, ce n'était pas possible !!! Ce qu'elle brandissait, c'était ma poésie sur Gigi Foster pliée en huit ! Elle avait dû tomber de mon sac quand j'avais sorti mon manuel d'anglais.

— À qui appartient ce papier ? a-t-elle demandé.

— Euh ! c'est à moi, ai-je répondu d'une voix de mourante.

— Je suppose qu'il s'agit encore d'un message stupide destiné à une de tes copines ?

— Pas du tout, ai-je rétorqué en tendant la main pour reprendre ma feuille. C'est un texte, un texte… de français.

Après tout, c'était vrai !

— Et il parle de quoi, ce texte? a demandé Cruella en me souriant d'un air perfide.

Je l'ai suppliée.

— S'il vous plaît, madame, rendez-moi ma feuille!

Faisant la sourde oreille, elle a commencé à déplier mon papier.

Un cri a jailli du fond de la classe :

— Aïe, je saigne!

C'était Marie-Ève. Elle a accouru et a agité son doigt ensanglanté devant Cruella. Celle-ci est devenue toute pâle.

— Comment t'es-tu blessée? a-t-elle demandé.

— Sur le métal de la chaise! a répondu mon amie d'une voix paniquée. Mon doigt s'est accroché. J'ai mal, j'ai mal!

Une goutte de sang s'est écrasée sur le sol. Madame Fattal s'est ressaisie.

— Quelle idée! Si au moins vous restiez tranquilles, ce genre de choses n'arriverait pas. Bon, je t'amène chez la secrétaire.

— Oh, je me sens mal! a gémi Marie-Ève. Je crois que je vais tomber dans les pommes.

Cruella s'est impatientée.

— Voyons, Marie-Ève, fais un petit effort! Jonathan et Eduardo, soutenez-là. Toi, Africa, prends place à mon bureau. Tu surveilleras la classe durant mon absence.

Ma meilleure amie pleurait. Cruella, qui tenait toujours mon texte à la main, a planté ses yeux dans les miens. Elle a susurré :

— Tu ne perds rien pour attendre, Alice Aubry! On se retrouve tout à l'heure!

Elle a déposé ma feuille pliée en quatre sur son bureau. En ouvrant la porte, elle a ajouté :

— En attendant mon retour, prenez votre cahier de brouillon. Formulez six phrases originales qui contiennent chacune un moyen de transport.

Maman vient de débarquer dans ma chambre.

— Tu fais tes devoirs, Biquette ?

— Pas tout de suite. J'écris mon journal intime.

— Je préférerais que tu commences par ton travail scolaire.

Bon, à plus tard, cher journal…

17 h 32. Je me suis dépêchée d'étudier ma leçon de grammaire. Et je n'ai jamais fini un devoir de maths aussi vite ! Pour une fois, j'avais compris ce qu'il fallait faire. Me voici donc de retour et je reprends le fil de mon histoire. Pauvre Marie-Ève ! Elle avait vraiment l'air d'avoir très mal. Quelle coïncidence, quand même ! Grâce à elle, j'avais été sauvée. Du moins, momentanément, car lorsque l'enseignante d'anglais allait revenir en classe, il n'y avait aucun doute qu'elle la lirait, cette satanée poésie. Si, au moins je parvenais à la récupérer en douce sur le bureau du prof ! C'était une mission impossible, car Africa était bel et bien assise devant la classe. Elle rédigeait consciencieusement le devoir que Cruella nous avait donné. Quant à Gigi, elle m'épiait. J'étais tellement angoissée que j'avais un affreux goût métallique dans la bouche. *The bicycle*… Non, pas moyen de

*Prise au piège !*

65

me concentrer sur l'exercice. Cette fois, j'étais prise au piège. Qu'allait-il m'arriver ?

Cruella, Jonathan et Eduardo sont revenus sans Marie-Ève. La prof a renvoyé Africa à sa place et s'est assise à son bureau. Plongeant ses yeux dans les miens, elle a achevé de déplier ma feuille et a commencé à lire. Mes mains étaient moites. Je les tordais de désespoir. C'était le pire moment de toute ma vie ! Cruella a froncé les sourcils. Elle m'a dit :
— Alice Aubry, si tu mettais autant d'application à étudier ton anglais qu'à perfectionner ton français, tu deviendrais une bonne élève. Si, je t'assure ! Te rappelles-tu au moins comment on dit le verbe travailler en anglais ?
Stupéfaite, j'ai répondu :
— Euh !... *to work ?*
— Bien, Alice, a-t-elle dit.
Elle a chiffonné ma feuille et l'a lancée dans la poubelle. Puis, elle a demandé :
— Qui a construit de belles phrases avec les mots *bicycle, car, school bus, truck, airplane* et *boat* ?

Quoi, Cruella qui ne rate aucune occasion de m'humilier devant la classe n'a pas réagi en lisant les horreurs que j'avais écrites sur Gigi Foster ?! Je sais bien que cette fille ne fait pas partie de ses chouchous, mais tout de même. Je n'y comprenais rien...
La cloche a sonné. Je me suis dépêchée de ranger mes affaires. Pas question de récupérer ma poésie dans la poubelle, puisque Cruella était encore assise à son bureau. Et

c'est elle qui ferme la porte de la classe à clé dès que tous les élèves sont sortis. Plus tard, le concierge viendrait vider la poubelle. Je suis allée chercher Caroline à l'entrée de l'école et on est sorties. C'est seulement dans la rue que j'ai commencé à y croire. J'étais sauvée ! Mais par quel miracle ? Ça, je n'en avais aucune idée.

Mon père vient d'entrer dans ma chambre. Il me demande de mettre la table. La suite au prochain épisode.

20 h 05. Maman est venue border Caro. J'ai allumé la lampe de mon bureau. Me voilà prête, cher journal, à te raconter la fin de cette incroyable aventure. Maintenant, quoi qu'il arrive, je ne m'arrête plus.

Donc, maman servait le pâté chinois quand le téléphone a sonné. Papa a répondu.

— C'était Marie-Ève, a-t-il déclaré en s'assoyant à table. Je lui ai dit que tu la rappellerais après le repas.

Oh, Marie-Ève ! Avec toutes ces émotions, je l'avais oubliée, elle et son doigt sanguinolent ! Je me suis dépêchée de terminer mon assiette. J'ai prétexté ne plus avoir faim pour le dessert. S'il y avait eu de la mousse au chocolat, j'aurais pris le temps de la déguster, mais comme c'était de la crème de soya à la vanille, le sacrifice n'était pas très grand… Je suis descendue au sous-sol, le téléphone en main, pour pouvoir parler tranquillement à mon amie.

— Alice ! s'est écriée Marie-Ève à l'autre bout du fil. J'avais hâte de t'entendre ! Comment vas-tu ?

— Moi, ça va, et toi? Ton doigt a beaucoup saigné? As-tu encore mal?

— Un peu. Écoute, je n'avais pas le choix! Il fallait faire quelque chose pour te tirer de ce mauvais pas. D'abord, c'était moi qui t'avais demandé d'emprunter ta poésie sur Gigi Foster. Et ensuite, si je te l'avais rendue hier, comme promis, tout ça ne serait pas arrivé. Je ne voulais pas que tu aies de graves ennuis par ma faute.

— Comment! me suis-je exclamée. Ta blessure, ce n'était pas un hasard? Tu ne t'es quand même pas coupée exprès pour moi?!

— Non, rassure-toi! a répondu mon amie. Mais quand j'ai vu que Cruella était sur le point de lire ta poésie et que ça allait mal tourner, je me suis rappelé le bobo que je m'étais fait ce matin en coupant du fromage. Pour que le sang arrête de couler, j'avais mis un pansement. Alors, en classe, je l'ai arraché d'un coup sec. Comme il collait un peu à la plaie, elle s'est rouverte. J'ai pressé ma blessure pour qu'elle recommence à saigner. Et je me suis précipitée juste à temps vers Cruella.

D'une voix étranglée par l'émotion, j'ai dit :

— Oh, Marie-Ève, je n'en reviens pas que tu aies fait ça pour moi!

Mes yeux se sont transformés en lacs. Deux grosses larmes ont roulé sur mes joues.

— Allo! Tu es encore là, Alice?

— Oui… Je ne sais pas comment te remercier. Tu as dû souffrir!

— Pas tant que ça, a répondu mon amie. J'ai fait semblant de me sentir mal pour que Cruella s'occupe de moi de toute urgence et oublie ton papier. Mais bon, ce n'est pas tout! Raconte-moi ce qui s'est passé lorsque la prof est revenue en classe. Avais-tu réussi à subtiliser ta feuille sur son bureau?

— Non. Quand Cruella a lu mon texte, je m'attendais à ce qu'elle se métamorphose en Tyrannosaurus rex et qu'elle fonde sur moi toutes griffes dehors! Mais à la place, elle est devenue douce comme un agneau. Enfin, j'exagère, mais...

La porte du sous-sol s'est ouverte. Caro est descendue, les bras chargés de cochons en peluche. Je lui ai demandé:

— Qu'est-ce que tu fais?

— Je cherche Cochonnet.

J'ai désigné l'autre bout du sofa.

— Il est là!

Ma sœur est remontée avec Cochonnet, Naf-Naf, Nif-Nif, Nouf-Nouf, Tire-Bouchon et Betty! De quoi perdre pied dans l'escalier...

— Excuse-moi, Marie-Ève. C'était Caroline. Bon, j'en étais où?

— Tu disais que Cruella ne s'était pas fâchée?

— Ben non. Elle m'a demandé comment on dit « travailler » en anglais...

— Ça n'a pas rapport!!!

— Tu as raison. Elle a déclaré que si je travaillais aussi fort en anglais qu'en français, je deviendrais une bonne élève. Tu te rends compte, Marie-Ève!!! C'est bien la première fois qu'elle me fait un compliment! Elle a jeté ma poésie à la poubelle et a recommencé son cours, comme si de rien n'était.

— Eh ben ! s'est exclamée Marie-Ève, interloquée. Oh, Alice !
imagine, si tu avais été renvoyée de l'école... Qu'est-ce que
je serais devenue, moi, sans ma meilleure amie ? C'est quand
même pas Gigi qui aurait pu te remplacer !

— Je l'espère bien ! Ni Éléonore !

— Certainement pas !

On s'est mises à rire comme des folles ! On aurait dit que
tout le stress accumulé sortait enfin !

— La seule chose que je regrette, c'est que tu aies perdu ta
poésie, a dit mon amie. Ça t'aurait fait un fameux souvenir !

— Rassure-toi ! Je l'avais recopiée dans mon journal intime.

La porte du sous-sol s'est rouverte.

— Alice, vaisselle ! a lancé papa.

— J'arrive !

Pour une fois, je n'ai pas rouspété. J'aurais chanté et lancé
mon linge de vaisselle en l'air, tellement j'étais soulagée.
Marie-Ève est une véritable amie. Une vraie de vraie ! Et
quelle bonne comédienne ! Comme elle aime beaucoup le
cinéma, elle pourrait devenir actrice plus tard.

Quand je suis remontée dans notre chambre, Caro m'a
demandé :

— De qui tu parlais à Marie-Ève ? De Cruella Dentaire ?

— Cruella Dentaire ?! ai-je répété en fronçant les sourcils.

Ma sœur s'est énervée.

— M'enfin, Alice ! Tu sais bien ! Cruella Dentaire, dans
*Les 101 Dalmatiens* ! Marie-Ève aussi, elle l'aime, ce film ?

— Oui, oui, me suis-je empressée de répondre.

Cruella Dentaire, hi! hi! hi! C'est trop rigolo! J'imagine notre prof d'anglais avec un dentier étincelant! Enfin, je l'ai échappé belle! Il ne faut pas que ma sœur découvre le surnom que Marie-Ève et moi on donne à madame Fattal. Parce que, incroyable mais vrai, Caroline l'adore! Et c'est réciproque. Elle, qui est douée en anglais, est même le chouchou de Cruella en 2e A! Il paraît que la prof la félicite souvent pour son *perfect accent*! Si Caro savait que sa sœur est le souffre-douleur de madame Fattal…

Bon, il est 21 h 49. J'ai tant écrit que ma main est tout ankylosée. Je vais rejoindre mon bon Grand-Cœur qui dort sur mon lit.

## Vendredi 23 janvier

8… Ce matin, Africa m'a rejointe sous l'érable.

— Bonjour Alice! Tiens, je veux te remettre ceci.

De la poche de son manteau, elle a tiré un papier plié. Je l'ai ouvert et j'ai lu : «Gigi Foster est une sorcière…» Oh non! Cette fichue poésie allait-elle, comme une malédiction, me poursuivre jusqu'à la fin des temps?

— Tu n'as pas l'air très contente de la récupérer, ta feuille, a constaté Africa, d'un air légèrement déçu. Elle n'était pas si importante, finalement?

— Oh si! Tu as bien fait de me la remettre! Merci! Mais je suis juste très étonnée. Cru… Euh! madame Fattal avait jeté mon texte. Tu l'as récupéré dans la poubelle?

— Pas du tout, a répliqué Africa. Hier, tu semblais très mal à l'aise quand madame Fattal a trouvé ton papier. Je me suis dit qu'il contenait sûrement des choses qu'elle ne devait absolument pas lire. Peut-être des remarques pas très gentilles sur elle. Je t'aurais comprise, Alice, parce qu'elle est toujours injuste avec toi. Alors, quand elle m'a demandé de m'asseoir à son bureau pour surveiller la classe, j'ai saisi cette occasion pour t'aider. J'ai ouvert mon cahier de brouillon. Au lieu de me mettre tout de suite à l'exercice d'anglais, j'ai conjugué le verbe « travailler » au présent, à l'imparfait et au futur simple. J'ai arraché discrètement la feuille. Je l'ai pliée et dépliée plusieurs fois pour qu'elle ressemble à la tienne. Après avoir dissimulé ton papier dans la poche de mon jeans, je l'ai remplacé par ma feuille de conjugaison. Ensuite seulement, j'ai commencé le devoir d'anglais. Au moment où la prof a lu ma feuille, j'ai eu peur qu'elle reconnaisse mon écriture. Heureusement, elle n'a rien remarqué d'anormal.

Tout s'éclairait ! C'était pour ça que Cruella avait d'abord eu un air dépité, hier. Parce qu'au lieu d'avoir une nouvelle occasion de se moquer de moi devant la classe et de me punir, elle avait lu : « *Je travaille, Tu travailles, Il ou elle travaille, etc.* »

J'étais à la fois stupéfaite et remplie d'admiration. Pour m'éviter une punition, Africa avait fait preuve d'audace et d'ingéniosité. Son futur métier est tout trouvé, à elle aussi : prestidigitatrice ! Elle qui adore la magie est vraiment douée pour les tours de passe-passe ! Comme j'ai de la chance d'avoir des amies comme elle et Marie-Ève !

— Oh, merci Africa ! me suis-je exclamé. Tu es un chou !
Et mon texte, tu l'as lu ?

— Bien sûr que non ! Et je n'ai rien dit à personne. Je sais
garder un secret !

— À propos de secret, je vais t'en confier un. Non seulement tu m'as aidée, mais tu m'as sauvé la vie !

Africa a eu l'air très impressionnée. La cloche a sonné.
Tiens, Marie-Ève n'était toujours pas là ?

Elle est arrivée en classe au moment où monsieur Gauthier
allait fermer la porte. Bon, moi je me retrouvais avec cette
poésie diabolique en poche… J'avais failli me faire prendre
à plusieurs reprises à cause d'elle. Mais là, j'étais déterminée
à en finir une fois pour toutes ! Bien sûr, je pouvais m'en
débarrasser à la maison. Par contre, j'avais peur qu'entretemps, Gigi Foster ne s'en empare… Alors, quand la cloche
de la récré a sonné, j'ai filé aux toilettes. J'ai déchiré cette
feuille en mille morceaux. Après les avoir lancés
dans la cuvette, j'ai tiré la chasse d'eau. Enfin
libérée du mauvais sort, j'ai dévalé l'escalier
jusqu'à la cour. J'avais hâte de dévoiler la
clé du mystère à Marie-Ève.

*bye bye !*

## Samedi 24 janvier

7… Un bol rempli de Crocolatos au déjeuner, c'est très
copieux. Du coup, ce midi, j'ai laissé la moitié de mon
sandwich. Je me suis rattrapée à l'heure de la collation, avec

des Crocolatos, évidemment ! La première boîte est termi-
née. Après avoir découpé les 5 points Star, je les ai rangés
dans le tiroir de mon bureau. Il faut absolument qu'on
arrive à manger suffisamment de céréales avant que
l'offre ne prenne fin ! Alors, ce soir, après la lasagne,
je me suis levée pour aller chercher la deuxième
boîte de Crocolatos.

— Moi aussi, j'en veux ! a déclaré Caro.

Maman a protesté.

— Dites, les filles, il y a de la salade de fruits pour le
dessert ! Il ne faut tout de même pas exagérer, avec vos
Cracoucas !

— Cro-co-la-tos ! ai-je rectifié.

## Dimanche 25 janvier

6...

## Lundi 26 janvier

5...

## Mardi 27 janvier

4... En rentrant de l'école, on a trouvé deux cartes pos-
tales sur le comptoir de la cuisine.

— Des nouvelles d'oncle Alex ! s'est écriée Caroline.

En effet, ma sœur avait raison. Sur ma carte, on voyait
un oiseau trop mignon. Je l'ai retournée.

Chère Alice,

Cet oiseau s'appelle un kiwi. Il vit uniquement en Nouvelle-Zélande. Il n'est pas capable de voler. Malheureusement, il est en voie de disparition. La Nouvelle-Zélande est aussi un grand producteur de kiwis (fruits)! Le sujet de mon reportage pour le magazine Autour du monde est le peuple Maori. J'ai vécu pendant dix jours dans un village maori au pied des volcans. Comme la Nouvelle-Zélande se trouve dans l'hémisphère Sud, c'est le plein été, ici! Gros bisous, Oncle Alex.

un kiwi (trop mignon!)

Le plein été?! Incroyable! Et dire qu'ici on est en pleine tempête de neige!

## Mercredi 28 janvier

3... Eh oui! le mois de janvier passé à côté de Gigi Foster m'a semblé interminable. Mais là, plus que trois jours... ma délivrance approche! En attendant, il s'est passé un miracle. Ou presque. Et qui n'a aucun rapport avec mon ennemie publique n° 1. Je t'explique, cher journal. En rentrant de l'école, j'ai demandé à maman si elle avait passé une bonne journée.

— Oui, merci Biquette, une journée bien occupée. Je suis allée au centre commercial pour…

— Au centre commercial ?! Mais maman, ça fait des siècles que je te demande d'y aller ! Pourquoi ne m'as-tu pas attendue ? Tu te rappelles, quand même, que je voulais acheter un disque ?!

— Bien sûr, cependant, je ne pouvais pas t'attendre. La promotion de 50 % sur les pyjamas de bébés se terminait aujourd'hui.

— On aurait pu y aller après l'école !

— Pour être coincées dans l'embouteillage de l'heure de pointe ! Non merci !

Me précipitant vers l'escalier, j'ai crié, un sanglot dans la voix :

— Alors, on n'ira **jamais** !


Maman m'a suivie jusqu'à ma chambre.

— Calme-toi, Alice. Ce ne sera plus nécessaire d'y aller, en effet. Après avoir acheté deux pyjamas pour Zoé, je suis passée chez le disquaire. J'ai trouvé ton disque de Laïla Chabada.

Laïla Chabada ?

— De Lola Falbala, tu veux dire ?!

— Oui, c'est ça. Regarde, je l'ai posé sur ton bureau.

— Oh, moumou, tu as fait ça ?! Merci ! Tu es la plus merveilleuse maman du monde ! Je te dois combien ?

— 19,99 $ plus les taxes.

Bref, j'ai couru mettre mon CD dans le lecteur du salon. J'ADORE les chansons de Lola Falbala ! Si Cruella nous les faisait écouter en classe, mes progrès en anglais seraient fulgurants. Mais comme tu peux t'en douter, cher journal, ce n'est pas du tout son style !

## Jeudi 29 janvier

2…

## Vendredi 30 janvier

1… ce matin…

… et à 15 h 30, la cloche de l'école a sonné et on s'est levées, ma « voisine » et moi…

## Zéro feu partez !

La fusée interplanétaire
S'envole vers Jupiter
Puis aux confins de l'univers
Avec, à son bord,
la « si chère » Gigi Foster !

Gigi Foster

Bon, je prends mes rêves pour des réalités, cher journal. Mais au moins, mon calvaire est terminé !

## Lundi 2 février

Gigi Foster est désormais à côté d'Audrey. Bon débarras!
Et moi j'ai Jade comme voisine de classe. Quel heureux
changement! Quant à Marie-Ève, la pauvre, elle est super
hyper méga frustrée! Pas parce qu'elle se retrouve avec
Bohumil, mais parce que Simon est assis à côté d'Éléonore!

## Mercredi 4 février

Quand papa est rentré du travail, maman lui a demandé :
— Tu as passé une bonne journée, chéri?
— Non, pas vraiment! a répondu papa. Figure-toi que la
partie gauche du devant de ma chemise n'était pas repas-
sée! Sabine Weissmuller m'en a fait la remarque en sortant
de la réunion.

Puis, il a marmonné tout bas :
— Avec Astrid, rien d'étonnant…

Elle est peut-être distraite, ma mère, mais elle a l'ouïe fine…
— Ta nouvelle chef, moi, elle ne m'impressionne pas! a-t-
elle lancé. D'ailleurs, Marc, si tu repassais tes chemises
toi-même, ça n'arriverait pas.
— Oh, je n'ai aucun talent pour ce genre de choses, a soupiré mon père.
— Personne n'a de talent pour le repassage, au départ. Il
suffit juste de s'y mettre.

— Et toi, si tu t'y mettais pour réparer l'ordinateur lorsqu'il est contaminé par un virus, ce serait génial aussi ! Ou pour démonter toi-même ton sèche-cheveux, quand il tombe en panne comme l'autre jour…

Joyeuse ambiance…

## Jeudi 5 février

Ce matin, j'ai découpé les 5 points de la deuxième boîte de *Crocolatos* !

## Vendredi 6 février

À la récré, Marie-Ève a dit d'un air sombre :
— Regarde, Alice, Éléonore tourne encore autour de Simon. La voilà qui partage sa collation avec lui. Et lui, il lui sourit !
— Simon est gentil avec tout le monde, ai-je répondu. Ne t'en fais pas, Marie-Ève. Tu sais bien que c'est toi qu'il aime. C'est évident à la façon dont il te regarde.
— Mais, justement, depuis qu'il est assis en classe à côté de Miss Parfaite, il me regarde moins souvent… Il doit la trouver plus belle que moi, cette fille.
— Tu te fais des idées ! ai-je dit, pour rassurer mon amie.
— Pas sûre. Éléonore n'arrête pas de passer sa main dans ses longs cheveux quand elle se trouve avec Simon. Je suis sûre qu'elle veut me le voler !

— Simon n'est quand même pas un objet. Il a aussi son mot à dire. Fais-lui confiance !

## Dimanche 8 février

Cet après-midi, Zoé n'arrêtait pas de pleurnicher. Papa, lui, était bourru comme un ours dérangé en pleine hibernation. Il avait essayé de faire une sieste, mais les cris de son bichon l'en avaient empêché. Moi, j'ai glissé mon disque de Lola Falbala dans le lecteur CD du salon. Je me suis calée dans le sofa. D'un bond, mon chat est venu me rejoindre. J'ai caressé son beau poil noir en fredonnant *Sweet angel*. Dehors, il avait commencé à neiger. Le rythme de la troisième chanson, *I am wild,* est vraiment entraînant ! Un peu trop d'ailleurs pour mon doux Grand-Cœur. Il est descendu de mes genoux et s'est éloigné. Alors, n'y tenant plus, j'ai bondi sur mes pieds et je me suis mise à danser. Caro m'a rejointe. On a tourbillonné toutes les deux. À la fin de la quatrième chanson, j'étais en nage !

J'aurais bien avalé toute une bouteille de Citrobulles, mais maman n'en achète jamais, sauf aux fêtes… J'te jure, cher journal, que des fois, j'envie les autres dont la mère n'est pas diététiste ! Dans la cuisine, maman finissait d'allaiter Zoé. Je me suis versé du jus d'orange. Mon père, qui pelait des pommes de terre, s'est lavé les mains. Il a tendu les bras à notre bébé chéri.

— Viens, mon bichon ! C'est papa qui va te faire faire ton roudoudou ! (Traduction : ton rot !)

Une fois assise sur ses genoux, Zouzou a recommencé à pleurer.

— Pfff... a soupiré papa en la redonnant à maman. Elle est vraiment difficile, *ta* fille !

— Elle n'est pas difficile, a rétorqué maman. Elle fait ses dents, la pauvre !

— Écoute Astrid, ça fait un mois que tu nous répètes qu'elle fait ses dents ! Tu lui trouves toujours une excuse. Tu ne veux tout simplement pas admettre que ce bébé est plus difficile que ses sœurs au même âge.

— Plus difficile ?! Mais pas du tout, Marc ! Tu ne te souviens pas de la poussée dentaire de Caroline ?! Sans compter les coliques d'Alice !

— C'est incroyable, il faut toujours que tu aies raison !

Zoé s'est mise à hurler. J'ai avalé mon jus et je suis montée dans ma chambre. Décidemment, cher journal, la moindre discussion de mes parents vire à la chicane...

## Lundi 9 février

Les trottoirs n'étaient pas encore dégagés quand, Caro et moi, on est parties ce matin. On a dû se frayer un chemin dans une épaisse couche de neige. À l'école, les branches de l'érable étaient ouatées de blanc, elles aussi. Wow !

Monsieur Gauthier nous a remis la dictée d'hier. J'ai eu 10/10, ce qui m'arrive parfois en dictée. Il m'a félicitée.

Mais c'est à Jonathan, qui a eu 8/10, qu'il a remis un galet rouge.

— Non seulement tu n'as presque pas fait de fautes, mais te voilà pris en flagrant délit de belle écriture! s'est exclamé notre enseignant. Tu as pris ton temps, cette fois. Tu vois que ça en vaut la peine!

En effet, d'habitude, ce qu'écrit notre ouragan est aussi illisible que des hiéroglyphes et bourré de fautes d'orthographe.

— Le coffre aux trésors déborde! s'est écrié Jonathan. C'est quoi notre privilège, m'sieur?

Comme d'habitude, notre enseignant a refusé de dévoiler la récompense qu'il nous prépare. Bon, on la découvrira demain matin, j'imagine.


À la récré, il avait arrêté de neiger. Le temps était humide, comme s'il allait se mettre à pleuvoir.

— La neige est collante, a constaté Karim. On fait un bonhomme?

— D'accord! s'est-on écriées, Marie-Ève et moi.

— Moi, ça ne me tente pas, a décrété Éléonore. Tu viens, Simon?

— Non, pas maintenant. J'ai envie de faire ce bonhomme de neige avec Marie-Ève et les autres.

Africa, Jade, Audrey, Catherine & Catherine ainsi que Bohumil nous ont rejoints. Marie-Ève n'avait d'yeux que pour le beau Simon! Et lui, tout en roulant une énorme boule de neige avec elle, il lui souriait. Mon amie était radieuse. Gigi Foster et Jonathan nous ont aidés à dresser ce méga-bonhomme de neige devant l'érable. Avec un bâton, je lui ai tracé un beau sourire et j'ai planté le bâton en guise de nez. Karim a sacrifié deux des biscuits de sa collation pour les yeux, et Jonathan lui a prêté sa casquette.

— On dirait monsieur Gauthier, vous ne trouvez pas ? a dit Catherine Frontenac au moment où la cloche sonnait.

Elle avait raison. C'était tout à fait lui !

J'ai fourré mon habit de neige trempé dans mon casier. Même mes bas étaient mouillés ! Dans le feu de l'action, pendant qu'on fabriquait notre Gauthier des neiges, j'avais bien chaud. Mais là, j'étais en train de me refroidir. J'ai frissonné. Si j'avais été à la maison, je me serais préparé un bon chocolat chaud.

Des cris joyeux provenaient de la classe. Je suis entrée. Sur chacun de nos pupitres, il y avait une grande tasse blanche.

— C'est du chocolat chaud ! s'est exclamé Jonathan, avec des moustaches de crème.

— Youpi ! s'est écriée Catherine Provencher en se précipitant sur le sien.

Elle s'est pourléché les babines.

— Mmmm, quel délice !

À mon tour, j'ai pris la tasse entre mes mains glacées. J'y ai trempé mes lèvres. Je n'avais rien bu d'aussi bon ! Une douce chaleur pénétrait dans mon corps. Notre magicien d'enseignant avait réalisé mon désir ! Et ma suggestion de privilège que je lui avais remise à la rentrée scolaire ! Sans oublier les guimauves miniatures qu'il avait placées sur une serviette à rayures multicolores. Je les ai laissées fondre dans le reste du chocolat.

— Merci, monsieur Gauthier ! me suis-je écriée.

Lui, les mains derrière le dos, riait de nous voir si contents.

— Mais, comment vous avez fait pour préparer ce chocolat chaud en classe ? lui a demandé Bohumil, perplexe.

— Ha ! ha ! Tu oublies que je suis magicien !

Et notre enseignant a brandi sa baguette magique de la main droite.

## Mercredi 11 février

Lorsque Caroline et moi on est descendues pour le souper, nos parents parlaient fort. Ils avaient l'air contrariés. Papa a dit :

— Pas devant les enfants, Astrid ! On en discutera plus tard.

Heureusement, ma sœur a fait diversion en racontant qu'elle avait confectionné une carte de Saint-Valentin pour son amoureux. D'ailleurs, elle me l'a montrée après le souper. Dessus, elle avait dessiné Jimmy en Spiderman, avec des muscles très puissants. Je n'ai pas pu m'empêcher de lui faire remarquer :

— C'est pas vraiment une carte de Saint-Valentin.

— Ben oui ! a-t-elle déclaré en haussant les épaules. Regarde !

Elle a ouvert sa carte. Là, au milieu d'une multitude de petits cœurs rouges, elle avait écrit de sa plus belle écriture : « Jimmy, tu es mon amour pour toujours ! »

Eh ben, elle ose, ma sœur ! Il faut dire qu'elle ne fait jamais les choses à moitié. Marie-Ève aussi est tout excitée à l'approche de la Saint-Valentin. Elle a acheté un cœur en chocolat pour Simon.

20 h 48. Je m'étais installée dans mon lit avec le tome 6 des Zarchinuls. Soudain, mes parents ont commencé à discuter dans leur chambre, de l'autre côté du mur. Discuter ou se disputer ? Pas moyen de saisir de quoi ils parlaient, mais le ton montait. Il était évident qu'ils étaient fâchés l'un contre l'autre. Encore une fois… N'ayant plus envie de rire, j'ai refermé mon livre. Je relirai *Les Zarchinuls font les zouaves* un autre jour, dans de meilleures conditions.

## Jeudi 12 février

J'attendais Marie-Ève sous l'érable. Karim est venu me saluer.
— Tu veux une gomme ? m'a-t-il proposé en sortant un paquet de sa poche.
— Des gommes à la cannelle ! Ce sont mes préférées. Merci Karim !

À 9 h 30, Cruella est arrivée au moment où monsieur Gauthier quittait la classe. Elle a commencé à interroger Audrey, son chouchou n° 2. Gigi Foster n'arrêtait pas de me regarder. Mais qu'est-ce qu'elle me voulait, à la fin ?
Exaspérée, j'ai fini par lui tirer la langue.

— Madame, madame ! s'est-elle écriée.

— *What, Gigi ?* a soupiré la prof. Pourquoi interromps-tu Audrey ?

— C'est Alice. Elle me fait des grimaces. Et elle chique de la gomme !

— Comment ça, de la gomme ?! s'est exclamée Cruella.

Et TIC-TIC-TIC-TIC-TIC, elle a foncé sur moi comme un rapace sur sa proie !

— L'article 23 du code de l'école énonce clairement qu'il est interdit de mâcher de la gomme ! a-t-elle déclaré en me fixant sévèrement. Je ne supporte pas qu'on rumine en classe ! C'est dégoûtant !

Assis à gauche de la classe, Karim a dit :

— Madame, c'est moi qui…

— Taratata ! l'a coupé Cruella. Une règle est une règle ! Il est inadmissible qu'une élève de 5ᵉ année ne connaisse pas encore le code de vie !

— Excusez-moi, madame, ai-je balbutié. J'avais oublié de jeter ma gomme. Je vais aller la mettre à la poubelle.

Et je me suis levée.

— Ne crois pas t'en tirer aussi facilement ! a décrété Cruella. Je vais te faire passer une fois pour toutes l'envie de mâcher de la gomme à l'école. Colle-la sur ton nez. Tu la garderas jusqu'à la fin du cours.

Je suis restée sans voix. Elle blaguait ou quoi ? Mais son air déterminé m'assurait le contraire.

— La gomme sur le nez, a-t-elle répété en me regardant droit dans les yeux. Oui, tu as bien entendu. Et dépêche-toi ! On a assez perdu de temps !

J'ai pris ma gomme et je l'ai écrasée sur le bout de mon nez. Tous les regards étaient braqués sur moi. J'ai baissé la tête. J'étais tellement gênée que j'avais envie de pleurer. Patrick a pouffé de rire, suivi par Eduardo.

— Silence ! a tonné Cruella. La prochaine fois, je colle un zéro à ceux qui perturbent le cours !

Karim m'a jeté un regard désolé. Mais il n'y pouvait rien. Au contraire, il était super d'avoir voulu prendre ma défense. Quant à Gigi Foster, elle jouait à l'élève modèle. La traîtresse ! Me dénoncer ainsi ! Et Cruella qui avait saisi l'occasion de m'humilier devant toute la classe ! Pourtant, je suis loin d'être la seule à mâcher de la gomme à l'école. Je me sentais tellement ridicule avec cette gomme rouge qui devait me faire un nez de clown… Je mourais d'envie de l'enlever, mais je n'osais pas.

Dès que Cruella a quitté la classe, je me suis précipitée vers la poubelle pour y jeter ma gomme. En passant devant Gigi Foster, je n'ai pu m'empêcher de lancer :
— Méchante !
— Alice a raison, a renchéri Africa. C'est vraiment moche ce que tu lui as fait !
Karim et Marie-Ève s'en sont mêlés. Eux aussi lui ont reproché de m'avoir dénoncée.
— Que se passe-t-il, les amis ? a demandé monsieur Gauthier en arrivant en classe. C'est la révolution ?
On est restés figés comme des statues. Tout le monde me regardait. Mais moi, je n'allais tout de même pas raconter à

notre enseignant que Gigi Foster avait rapporté. Ni lui parler de la gomme sur mon nez, d'ailleurs! Alors, j'ai répondu :

— Rien.

— Bon, dans ce cas, prenez votre livre de maths, s'il vous plaît.

Ce soir, en arrivant à table, papa a soupiré :

— Encore du riz…

Maman a répliqué d'un ton sarcastique :

— Je serais enchantée, Marc, si tu cuisinais plus souvent!

Oh non! Ça n'allait pas recommencer… On s'est mis à manger en silence. Puis, le cellulaire de papa a sonné. Aïe! Ça a toujours le don d'énerver maman.

— Tu n'es pas obligé de répondre, a-t-elle dit. On te laissera un message.

Mais papa a répondu. C'était Sabine Weissmuller qui avait besoin de renseignements urgents. Mon père a filé à l'ordinateur. Plus tard, il a fait une remarque à propos des muffins qui avaient un arrière-goût de soya. Alors là, maman a explosé. Caro et moi, on s'est réfugiées dans notre chambre.

Malgré la porte fermée, on entendait les mots qui volaient comme des couteaux à travers la cuisine.

— C'est de **ta** faute!

— Et pourquoi, toi, tu ne le fais **jamais**?!

— J'en ai **assez** de tes reproches alors que je n'arrête pas un instant…

— Parce que moi, bien sûr, je ne fais **rien**!

Cette fois, c'était du sérieux… Zoé s'est mise à pleurer. Papa a encore lancé quelques phrases piquantes. Cinq minutes plus tard, on a entendu la porte d'entrée claquer. Fini, les hurlements de notre petite sœur. Maman avait dû l'amener dehors.

— Maman et Zoé sont parties pour toujours ? a demandé Caroline.

J'ai tenté de la rassurer :

— Non, maman est allée prendre l'air pour se calmer. Elle reviendra dans quelques minutes.

Caroline a soulevé sa couette.

— Je ne trouve pas Nouf-Nouf, a-t-elle dit d'une toute petite voix.

Elle est descendue le chercher. Quand elle est réapparue avec son cochon en peluche serré sur son cœur, elle a dit :

— Papa faisait le lit de la chambre d'amis. Je crois qu'il va dormir au sous-sol.

Au sous-sol ! Ça ne s'arrange vraiment pas… Quand nous, les enfants, on se dispute, les parents nous le reprochent et nous demandent de nous entendre. Mais eux, ils ne montrent même pas l'exemple. Que faire ? Et dire qu'après-demain, ce sera la Saint-Valentin…

## Vendredi 13 février

Finalement, hier soir, j'avais le cœur si vide que je ne parvenais pas à m'endormir. La porte de notre chambre s'est ouverte. Ma mère m'a embrassée, puis très doucement, elle a passé sa main sur mes cheveux. Ça m'a donné envie de me blottir dans ses bras. J'ai réussi à ne pas exploser en sanglots et à faire semblant de dormir. Je l'ai entendue soupirer. Après s'être penchée sur Caro, elle a quitté la chambre sur la pointe des pieds, puis le silence a recouvert la maison. Alors, le barrage a lâché. J'ai pleuré toutes les larmes de mon corps. Grand-Cœur a léché mes joues et on a dû s'endormir ensemble.

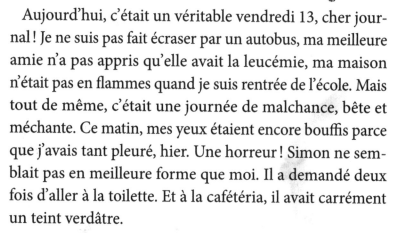

Aujourd'hui, c'était un véritable vendredi 13, cher journal! Je ne suis pas fait écraser par un autobus, ma meilleure amie n'a pas appris qu'elle avait la leucémie, ma maison n'était pas en flammes quand je suis rentrée de l'école. Mais tout de même, c'était une journée de malchance, bête et méchante. Ce matin, mes yeux étaient encore bouffis parce que j'avais tant pleuré, hier. Une horreur! Simon ne semblait pas en meilleure forme que moi. Il a demandé deux fois d'aller à la toilette. Et à la cafétéria, il avait carrément un teint verdâtre.

— Ça va? lui a demandé Bohumil.

— Pas vraiment, a répondu Simon. J'ai... j'ai mal au ventre.

Il s'est levé, a fait deux pas en direction de la porte et a vomi. Horreur absolue! Toutes les filles autour de lui se sont écartées en hurlant. Pour ma part, j'ai dû faire un effort suprême pour ne pas vomir moi aussi. Mais c'est Marie-Ève qui avait l'air la plus dégoûtée. Avec Éléonore, bien sûr.

En arrivant dans la cour, j'ai dit à ma meilleure amie :
— Pauvre Simon... J'imagine que ses parents sont venus le chercher chez la secrétaire. Attraper la gastro la veille

de la Saint-Valentin, c'est vraiment pas de chance ! Il ne pourra pas manger de chocolat.

C'est alors que je me suis rappelé le cœur en chocolat que Marie-Ève voulait lui offrir discrètement à la fin des cours, cet après-midi… Je lui ai demandé :

— Et ton cœur en chocol…

— Ne me parle plus de cette idée stupide ! m'a-t-elle interrompue. Il est dégoûtant, ce gars-là ! Pire encore que Patrick ! Quand on doit vomir, on s'arrange au moins pour le faire dans les toilettes, discrètement !

— Tu penses bien qu'il ne l'a pas fait exprès !

— Même s'il n'a pas pu se retenir, je ne me suis jamais sentie aussi ridicule ! Un chum qui vomit en public… Dans ces conditions, je préfère ne pas avoir de chum !

— Mais… Je croyais que tu l'aimais.

— Je l'aimais ; tu as raison, Alice. Maintenant, c'est fini. Sois gentille, n'insiste pas !

Bon, je vais respecter ce que demande Marie-Ève. Mais quel dommage quand même ! Mon cœur est tout triste. À quoi ça sert d'aimer si l'amour ne dure pas… Enfin, il y a quand même deux amoureux qui sont heureux, en cette veille de Saint-Valentin. Caroline est venue me trouver sous l'érable.

— Devine quoi ? Jimmy m'a offert un cœur !

— Un cœur en chocolat ?

— Non, un cœur en plastique. Une boîte en forme de cœur. Elle se trouve dans mon casier, mais je te la montrerai tout à l'heure.

— Et toi, tu lui as remis ta carte ?

— Bien sûr! Il était très content. Il m'a donné un gros bisou!

Cet après-midi, monsieur Gauthier avait un rendez-vous chez le dentiste. Comme le directeur n'avait pas réussi à trouver une remplaçante, on a dû passer l'après-midi dans la classe voisine, celle de madame Robinson. Bien entendu, il n'y avait pas de pupitres pour nous. On s'est assis contre le mur pour suivre la leçon de grammaire des 5ᵉ A… Et quel est leur dernier cours, le vendredi après-midi, cher journal? Anglais! Résultat : on a eu droit à Cruella DEUX journées consécutives, cette semaine!

À la maison, même ambiance qu'hier. Pas de musique dans le salon. Juste le hurlement du vent, dehors. J'ai le cœur serré et l'envie de pleurer me reprend. J'ai peur que mes parents se séparent. Peur de me réveiller demain, et que maman soit partie pour de bon. Ou alors, papa. Peur qu'on vende la maison, et que maman retourne en Belgique. Et que tous les mois, on doive prendre l'avion pour aller vivre avec elle. Et aussi, reprendre l'avion vers Montréal pour passer quelques semaines avec papa… Mais comment on s'organiserait pour l'école, alors?

Caroline m'a fait admirer la boîte en forme de cœur rose fluo (rose cochon, dirait-elle) qu'elle a reçue de son amoureux. Elle l'a ouverte. L'intérieur est capitonné de satin rouge. Elle a placé la boîte sur sa table de chevet et y a déposé son papillon en argent. En se couchant au milieu de ses cochons, elle m'a demandé :

— Papa et maman ne s'aiment plus ?

— Euh ! si, ai-je répondu. Enfin, quand même encore un peu, j'espère.

Prise d'une inspiration soudaine, j'ai ajouté :

— Écoute, Caro. Demain, c'est Saint-Valentin. J'ai une idée.

Ma sœur a poussé Tire-Bouchon et compagnie pour me faire une place sur son lit. Je lui ai confié mon plan de sauvetage. Elle est d'accord pour y participer. À présent, elle dort depuis une heure. Moi, je vais rejoindre Grand-Cœur sur mon lit. Et je fais un vœu pour que notre projet fonctionne.

## Samedi 14 février

Aujourd'hui, papa était raide et sérieux mais alors sérieux… On aurait dit le robot du film *Cap sur la Voie lactée*. Si la situation n'avait pas été aussi grave, j'aurais éclaté de rire ! Maman, elle, avait un air buté. J'ai glissé un discret :

— Ça va ?

Elle m'a répondu d'un ton glacial :

— Oui, ça va bien.

Ah ! on le voit que ça va bien, très très bien, même ! Mieux que ça, ça n'existe pas ! J'ai retiré l'unique billet de 20 $ de ma tirelire. J'ai dit à maman que j'allais faire un tour.

Je me suis rendue à la pâtisserie près du parc. Dans la vitrine trônaient des gâteaux en forme de cœur. J'en ai choisi un au chocolat. Le chocolat, ça allait mettre papa de bonne humeur. La vendeuse a demandé :

— J'écris *Bonne St-Valentin* dessus?

Dans mon cerveau, ça a fait TILT.

— Pouvez-vous plutôt écrire *Peace and Love,* s'il vous plaît? lui ai-je dit.

Elle semblait étonnée, mais s'est exécutée quand même.

— Est-ce que ce serait possible d'ajouter un cœur et un signe de paix?

La vendeuse a froncé les sourcils.

— Comme ça? a-t-elle fait en dessinant avec son doigt sur le comptoir.

— Exactement. Merci! Je vous dois combien?

Avec les taxes, il me manquait 2,56 $. Heureusement, la vendeuse me connaît. Elle m'a dit que je n'avais qu'à les apporter la semaine prochaine.

De retour à la maison, j'ai entrouvert la porte. La maison était silencieuse. J'ai filé dans notre chambre, la boîte contenant le gâteau à la main. Je l'ai dissimulée dans la garde-robe. Ce midi, papa a à peine touché aux saucisses bien grillées. Il s'est levé de table alors que nous, on n'avait pas encore fini notre assiette, et il est parti au garage pour le changement d'huile de l'auto. Maman a décidé d'aller se promener avec Zoé. Elle a sorti le traîneau.

— Vous venez, les filles? nous a-t-elle demandé.

Caro et moi, on a refusé. J'ai prétexté que j'avais un million de devoirs pour lundi. Une fois la voie libre, on est passées à l'action. Après avoir confectionné une guirlande de cœurs rouges, je l'ai fixée avec du papier collant sur le mur de la salle à manger. Pendant ce temps, ma sœur a sorti la nappe en dentelle que maman garde pour les grandes occasions. Elle a mis la table et placé les chandelles rouges. Sur les serviettes en papier, elle a dessiné des cœurs rouges percés d'une flèche. C'est sûr qu'avec le sapin que mes parents n'avaient pas encore eu le temps de dépouiller de ses décorations, ça faisait un peu bizarre… On se demandait si on était à Noël ou à la Saint-Valentin, mais bon, c'était un détail.

J'ai fabriqué une carte. J'y ai dessiné deux cœurs entrelacés sous un arc-en-ciel. De ma plus jolie écriture, j'ai tracé : Astrid et Marc. Et à l'intérieur de la carte, j'ai écrit :

Chers parents,
Caroline et moi, on ne veut pas se séparer ! Zoé non plus, d'ailleurs. On n'aime pas ça, les valises, sauf pour les vacances. D'ailleurs, ça prendrait une valise bien trop grande pour déménager chaque semaine tous les cochons en peluche de Caro ! S'il vous plaît, nous vous supplions de faire la paix. Rappelez-vous que pour nous fabriquer, nous, vos trois filles, vous avez dû être drôlement amoureux ! Bonne Saint-Valentin de vos filles qui vous aiment.

J'ai signé pour Zoé et moi. À son tour, Caroline a apposé sa signature, avec plein de boucles sophistiquées. On a commencé à préparer le souper. Il restait trois saucisses dans le frigo. Ma sœur a aussi déniché de la salade, des tomates et un morceau de fromage avec lesquels j'ai improvisé une salade aux saucisses et au cheddar.

Caro a pris un air catastrophé. Elle s'est exclamée :

— J'ai fini la bouteille de ketchup ce midi !

Je t'assure, cher journal, que l'absence de ketchup au repas était bien le dernier de mes soucis ! J'ai tenté de raisonner ma sœur.

— Pour une fois, tu t'en passeras. On n'a pas le temps d'aller en acheter au dépanneur.

— J'ai besoin de ketchup pour le souper ! a-t-elle assuré. Je vais demander à madame Baldini de m'en prêter.

Avant que j'aie eu le temps d'intervenir, elle avait déjà enfilé son manteau et ses bottes, et était sortie dans la rue…

Dix minutes plus tard, Miss Ketchup était de retour avec une bouteille rouge à peine entamée. Je préparais la vinaigrette quand maman est rentrée. Je lui ai dit :

— Surprise ! On n'entre pas dans la cuisine ni dans la salle à manger. On attend papa.

Il est arrivé une demi-heure plus tard. J'ai allumé les deux chandelles. Caro et moi, on a appelé nos parents.

— Oh ! c'est joli, a dit papa.

Du même ton pas naturel, maman a ajouté :

— Tiens, c'est la Saint-Valentin aujourd'hui ?

Caroline leur a tendu la carte. Ils l'ont lue. Maman a fondu en larmes. Elle m'a fourré Zoé dans les bras et s'est jetée dans ceux de papa. Tout en la serrant aussi fort que s'il était un *boa constrictor,* papa répétait : « Mes filles, mes filles, mes filles… » On aurait dit un disque rayé.

Maman a séché ses larmes, puis je lui ai redonné sa Prunelle. Caro et moi, on a filé à la cuisine. Pendant que je préparais un cocktail d'amour avec du jus de légumes, quelques gouttes de jus de citron et de Tabasco, ma sœur versait des chips dans un plat. Lorsqu'on est revenues dans la salle à manger, Zouzou était assise sur les genoux de maman qui était assise sur les genoux de papa. La salade de saucisses était bonne et le gâteau *Peace and love* délicieux. Même Zoé y a mis du sien. Elle n'a pas bronché pendant le souper. Il faut dire que, pour elle, j'avais allumé les lumières du sapin qui la fascinent toujours. Nos parents nous ont remerciées. Ils nous ont expliqué que non, ils n'avaient pas l'intention de se séparer. Mais ils ont reconnu qu'ils étaient très fatigués. Du coup, ils sont (beaucoup) moins patients l'un envers l'autre. Ils nous ont promis de faire un effort.

## Dimanche 15 février

Ce matin, tout était blanc. Un grand soleil brillait dans le ciel bleu. Pendant que je me versais un bol de Crocolatos, papa a dit :

— C'est un vrai temps pour profiter de la neige dans les Laurentides ! Que diriez-vous d'aller faire des glissades sur tubes ?

— YÉÉÉÉÉ !!! s'est-on écriées, Caro et moi.

— Quelle bonne idée, Marc ! a ajouté maman. Ça me changera de la maison !

— On se relaiera pour garder le bichon en haut des pistes, Astrid. Une fois, ce sera toi qui descendras avec les grandes, et l'autre fois, moi.

— Et si on faisait plutôt garder Zoé par madame Baldini ? ai-je proposé. Cela fait des siècles qu'elle nous l'offre.

Notre voisine était effectivement ravie qu'on lui confie notre bébé chéri. On est partis à Piedmont après le dîner. Bref, pendant deux heures, on a dévalé les pentes de neige en riant comme des fous !

En revenant, je suis allée récupérer Zouzou chez madame Baldini. Quand elle a ouvert la porte, elle s'est exclamée :

— *Mamma mia !* Quelle bonne mine, Alice ! On voit que tu as profité du beau soleil. Ça fait longtemps qu'on ne s'est pas vues. Par contre, quand il ne fait pas trop froid, Grand-Cœur revient parfois me réclamer des croquettes.

— Vous aviez raison, lui ai-je dit. Les vitamines pour chat que je glisse chaque jour dans sa pâtée lui font du bien.

J'ai habillé ma petite sœur qui venait de se réveiller après une longue sieste. Au moment où on s'apprêtait à partir, madame Baldini a dit :

— Ah, j'allais oublier ! Je vous ai emballé des biscotti. Ils sont frais de ce matin.

À la maison, ça sentait bon le chocolat. Papa préparait du chocolat chaud dans la cuisine. Caro se trouvait déjà en pyjama. Je suis allée enfiler le mien. Chaussée de mes pantoufles Shrek, je suis descendue au salon où maman allaitait Zoé. Ensemble, on a dévoré les biscuits de notre voisine en savourant notre chocolat chaud. Quelle belle journée !

## Lundi 16 février

J'ai TOUT raconté à Marie-Ève : les disputes de mes parents, ma crainte qu'eux aussi finissent par se séparer et l'heureux dénouement qu'avait connu la Saint-Valentin.

— Quelle chance ! a déclaré mon amie. La séparation des parents n'est vraiment pas faite pour une fille comme toi, Alice ! Distraite comme tu es, tu oublierais ton manuel d'anglais et ton disque de Lola Falbala chez ton père ainsi que tes BD des Zarchinuls et ton journal intime chez ta mère !

Elle a soupiré :

— C'est compliqué, tu sais, quand on vit dans deux appartements. Il faut être drôlement bien organisé!

Papa est rentré tôt du boulot avec un bouquet de fleurs. De la cuisine provenait une bonne odeur de sauce spaghetti, son plat préféré. Caroline sautait sur le trampoline. Maman, elle, allaitait Zoé sur le sofa du salon. Papa lui a tendu le bouquet.
— Quelles belles marguerites! s'est exclamée maman. Merci Marc, tu es un amour!
— Astrid, j'ai quelque chose à te demander, a dit papa.
Son ton était si officiel que j'ai suspendu mon souffle. Caroline a interrompu ses sauts. Même Zoé s'est arrêtée de boire et l'a dévisagé. Papa s'est lancé, un peu comme s'il se jetait à l'eau:
— Je t'aime tellement... Veux-tu m'épouser?

Maman était muette d'étonnement. Mes sœurs ont été les premières à réagir. Zouzou a recommencé à boire. Et Caro s'est remise à sauter sur le trampoline. Elle a supplié maman:
— Dis oui! Comme ça tu porteras une robe blanche et tu seras la plus belle!
C'était follement romantique! Ma mère a souri à papa et lui a demandé doucement:
— Approche-toi, Marc. Viens m'embrasser.
Mon père ne s'est pas fait prier. Il s'est penché par-dessus son bichon qui, imperturbable, a continué à boire. Et il a longuement embrassé maman sur la bouche. Gênée, j'ai rejoint Caro sur le trampoline. Comme elle, je me suis mise à bondir comme un kangourou.

Quand papa s'est enfin relevé, maman lui a dit :

— Tu sais, mon beau Marc, moi aussi je t'aime ! Je te remercie de tout cœur pour ta demande, mais ce ne serait pas raisonnable. Un mariage, ça coûte très cher. Un de ces jours, notre vieille auto va finir par nous lâcher et il faudra la remplacer. Et puis, ça apporterait quoi de plus à notre vie ? Nous avons déjà trois merveilleux enfants ! Je suis fatiguée et toi aussi. Ce n'est certainement pas en organisant une cérémonie de mariage qu'on se reposerait. Par contre… Tu sais ce dont je rêverais et qui nous ferait le plus grand bien ?

— Raconte-moi, a dit papa.

— Partir tous les deux pendant quelques jours !

C'était comme un cri du cœur.

— Mais c'est une excellente idée ! s'est écrié mon père. Ce serait comme un voyage de noces !

Il a saisi son bichon qui avait fini de boire et l'a lancé en l'air.

— Attention, Marc, elle va régurgiter ! a crié maman.

— Ah non ! C'est fini, les chicanes ! a déclaré Caro. Nous, on en a assez !

Papa ne semblait pas vexé par le manque d'enthousiasme de maman par rapport au mariage. Il lui a promis qu'ils prendraient bientôt des vacances en amoureux. Puis, il a ajouté qu'elle n'avait pas besoin de porter une robe de mariée pour être la plus belle. Ça, c'est bien vrai ! Caroline, par contre, était franchement déçue. Elle aurait beaucoup aimé assister au mariage de nos parents. Mais pour moi, mariage ou pas, ce qui compte, c'est qu'ils s'aiment toujours.

## Mardi 17 février

Ce matin, Marie-Ève s'est élancée sur la longue patinoire de la cour d'école. Gigi Foster s'est approchée. Elle s'est plantée devant moi.

— Fais la file, lui ai-je demandé. J'étais là avant toi.

— Je ne veux pas glisser, a-t-elle répondu. Je te cherchais. Comme ça, Karim est amoureux de toi?!

Gloups! De surprise, je me suis étouffée avec ma salive.

— Mais non! ai-je répondu. Pourquoi tu dis ça?

— Parce que je le sais. Bientôt, toute l'école sera au courant! Sa déclaration d'amour est loin d'être discrète! D'ailleurs, si tu te voyais… Tu es rouge comme une tomate! Toi aussi, tu l'aimes!

Si j'avais commencé à rougir de gêne, là, je devenais rouge de colère.

— Tu m'énerves! ai-je crié. De quoi tu te mêles? Karim est mon ami, mais je n'ai jamais été amoureuse de lui!

— Oh, le pôôôvre petit! a poursuivi Gigi Foster d'une voix moqueuse. L'élue de son cœur ne veut pas de lui! Alice la maigrichonne va briser le cœur du beau Karim. C'est dramatique!

Elle s'est éloignée en ricanant. J'ai serré les poings. Quelle fille nuisible, celle-là! Non seulement nuisible, mais aussi toxique. Vénéneuse, même! Je la DÉTESTE! Marie-Ève, qui était de retour, a demandé :

— Qu'est-ce qu'elle te voulait, Gigi?

J'ai haussé les épaules.

— Oh! rien… Juste m'embêter, comme toujours.

— Ne t'en fais pas, Alice! a-t-elle dit en passant son bras autour de mes épaules. Tu sais qu'elle cherche toujours à se rendre intéressante.

Mon amie a raison, mais c'est plus facile à dire qu'à faire. C'est pas la première fois que Gigi Foster me traite de maigrichonne. Mes cheveux sont maigrichons, d'accord. Mais moi? C'est vrai que j'ai même pas encore de lolos…

La cloche a sonné. On est remontés en classe. En passant devant le bureau de Karim, je n'ai pas pu m'empêcher de rougir à nouveau. Lui, il m'a souri gentiment, comme d'habitude. Il n'avait l'air ni gêné, ni éperdument amoureux comme le prétendait Gigi Foster. Quand même, je me suis sentie bizarre toute la journée. En colère contre cette peste et, en même temps, on aurait dit que je flottais. Je me demandais à quelle sorte de déclaration d'amour Gigi Foster avait fait allusion. Mais pour rien au monde, je ne lui aurais posé la question! Et j'étais vaguement inquiète : elle avait affirmé que bientôt, toute l'école serait au courant. Bon, ça ne sert à rien de ressasser tout ça, puisque je ne possède pas d'indices supplémentaires. Je vais suivre les conseils de Marie-Ève et essayer d'oublier toute cette histoire.

## Mercredi 18 février

Comme j'arrivais dans la cour d'école, Patrick et Eduardo se sont avancés vers moi.

— Comme ça, Karim est amoureux de toi, Alice ?! m'a demandé Patrick, le sourire aux lèvres.

Cette fois, j'ai failli **exploser** !

— Non, c'est pas vrai ! Et d'ailleurs, pourquoi vous dites ça ?

Patrick a regardé Eduardo d'un air surpris.

— Elle a même pas l'air au courant. On lui montre ?

— Ben oui, puisque ça la concerne, a répondu Eduardo.

— Qu'est-ce que vous voulez me montrer ?

Cette fois, j'étais résolue à éclaircir ce mystère.

— Viens, a dit Eduardo.


J'ai suivi les deux inséparables jusque sous l'érable. Patrick a désigné un cœur percé d'une flèche fraîchement gravé dans l'écorce du vieil arbre. À gauche se trouvait un K et à droite un A. D'abord, je suis restée bouche bée. Mais j'ai rapidement repris mes esprits.

— Vous êtes sûrs que c'est Karim qui a fait ce cœur ? Vous le lui avez demandé ?

— Euh ! non, a reconnu Eduardo.

J'ai poursuivi sur ma lancée :

— Des tas d'élèves portent un prénom qui commence par un K ou un A. Ça peut être *Kristelle aime Antoine*. Ou *Kevin aime Africa*. Ou encore, *Khadija aime Alexandre*. Quand on n'a pas de preuve de ce qu'on avance, il est préférable de se taire !

Et toc ! Devant mon assurance, les deux garçons sont restés muets, puis ils se sont éloignés.

Voilà Marie-Ève qui arrivait. Après lui avoir montré le cœur percé d'une flèche, je lui ai raconté toute l'histoire.

— C'est peut être *Karim aime Africa,* a suggéré mon amie. Ils s'entendent bien.

La cloche a sonné. Devant nous, dans l'escalier, il y avait Karim et Africa, justement. Il lui a dit quelque chose à l'oreille et Africa a éclaté de rire. Ça devait être ça. Pendant que je rangeais mes affaires dans mon casier, j'ai aperçu Simon qui regardait son ex-blonde avec des yeux de chien battu. Mais elle, elle faisait comme s'il n'existait plus. Ça me fendait le cœur !

## Jeudi 19 février

Chaque matin, Caro et moi, on ressemble à de véritables écureuils qui croquent, croquent, croquent tous ces Crocolatos ! La troisième boîte est vide et la quatrième, déjà bien entamée. Pour changer, je rêve d'un croissant. Mais pas avant le jour où j'aurai réuni les 40 points nécessaires pour mon tee-shirt argenté !

Je n'ai plus entendu parler du graffiti sur l'érable. Heureusement ! Et j'ai eu beau observer Karim à la dérobée, il a l'air tout à fait normal. Il est chouette avec moi, avec Africa comme avec toutes les autres filles de la classe. Finalement, je ne pense pas que ce soit lui qui a gravé ce cœur dans l'écorce.

Depuis que mes parents se sont réconciliés et qu'ils ont décidé de partir tous les deux en Floride au mois de mars, je retrouve ma vraie mère. Elle est à nouveau joyeuse. Cet après-midi, elle est venue nous chercher à pied à l'école en tirant le traîneau dans lequel Zoé faisait sa sieste, bien emmitouflée dans une couverture. Il tombait de jolis flocons. Une auto sport s'est arrêtée pour nous laisser traverser la rue. Maman a fait une révérence au conducteur ! On a tous éclaté de rire, le conducteur y compris. Il nous a fait un grand signe sympathique avant de redémarrer. Bref, le bonheur est revenu dans la famille Aubry, cher journal. Pourvu que ça dure !

J'ai pris une photo de mes parents en pleine action l'autre jour.

## Vendredi 27 février

On a travaillé très fort toute la semaine. Monsieur Gauthier nous a fait faire une grosse révision et quatre contrôles ! Alors, à 15 h 30, quand la cloche a sonné, on s'est précipités vers nos casiers. On était en relâche scolaire ! J'enfilais mon habit de neige quand notre enseignant s'est approché de Gigi Foster. J'ai tendu l'oreille. Il lui a dit :

— Tu as des boutons sur le visage, Gigi. Tu n'as pas d'allergies, pourtant ?

— Non, a-t-elle répondu.

— Dans ce cas, il se peut que ce soit la varicelle. L'as-tu déjà eue ?

Mais peu importe que les boutons de Gigi Foster soient dus à un virus ou à une intolérance au lait de soya, nous voilà en congé pour neuf jours ! Marie-Ève part ce soir pour Ottawa, chez son père. Quant à Caro et moi, nos grands-parents nous ont invitées avec nos cousins. YÉÉÉ !

## Lundi 1er mars

C'est demain soir que grand-papa viendra nous chercher. J'ai glissé ma lampe de poche dans mes bagages. J'adore partager notre chambre avec Olivier et Félix ! Olivier, qui a 12 ans, a le don d'imiter les gens. On a toujours le fou rire, le soir ! Et des fois, quand la lumière est éteinte, il nous raconte des histoires à faire dresser les cheveux sur la tête. Mais pour rien au monde, je ne lui avouerais que j'ai peur pour de bon.

## Mardi 2 mars

Ce matin, pendant que je mangeais mes Crocolatos, mon poignet chatouillait. C'était la faute à deux petits boutons. Plus tard, en m'habillant, j'ai remarqué un autre point rouge sous mon nombril. Je suis allée trouver ma mère.

— J'espère que ce n'est pas la varicelle, a-t-elle dit. Connais-tu quelqu'un qui a la varicelle ?

— Non, ai-je répondu. Enfin oui, peut-être. Vendredi, monsieur Gauthier a signalé à Gigi Foster qu'elle avait des boutons et...

— Alors, c'est certainement la varicelle ! s'est exclamée maman. Quel dommage ! Tu devras rester ici.

— Comment ça ? lui ai-je demandé.

— La varicelle est une maladie très contagieuse, a-t-elle déclaré. Je ne sais pas si tes cousins l'ont eue, mais ce n'est pas ça qui m'inquiète. C'est le fait que ton grand-père ne l'a jamais attrapée.

— Oh, maman, c'est quand même pas quelques malheureux boutons qui lui feraient peur !

— Non, mais la varicelle est plus grave pour les adultes, a-t-elle expliqué. Alors, pas question de risquer de la lui transmettre. Il pourrait être très malade !

— Moi au moins, je peux y aller, a déclaré Caro.

— Malheureusement non, ma Ciboulette !

— Pourquoi ? a demandé ma sœur. C'est injuste ! J'en ai pas, moi, des boutons !

— Il se peut que tu aies déjà attrapé la varicelle d'Alice. Dans ce cas, tes boutons sortiront d'ici quelques jours, a dit maman. Je comprends que c'est frustrant de voir vos vacances tomber à l'eau, mais il faut penser à votre grand-père. J'appelle tout de suite grand-maman pour la mettre au courant du changement de programme.

Et moi qui me faisais une telle joie de passer cinq jours avec mes cousins ! J'ai défait mes bagages en me grattant le poignet. Caroline, elle, boudait dans son coin. C'était la déprime totale… Et tout ça à cause de cette **scrogneu-gneu** de Gigi Foster ! Quelle idée elle avait eue, celle-là, d'attraper la varicelle juste avant les vacances !

## Mercredi 3 mars

C'est bien la varicelle. J'ai d'autres boutons sur le ventre. Et Marie-Ève qui est à Ottawa… Quelles vacances passion-nantes… gratter ses boutons, déjouer maman qui a encore essayé de nous refiler un *smoothie* au tofu, grignoter le plus possible de Crocolatos et écouter la pluie verglaçante cingler les fenêtres…

Bon, j'ai une idée. Ça fait longtemps que j'ai dépassé la moitié du cahier dans lequel j'écris. Je le terminerai dans les semaines qui viennent. Mais après, bien sûr, je veux poursuivre mon journal intime. Peut-être que ces cahiers qu'oncle Alex m'avait offerts existent aussi dans d'autres couleurs ? En turquoise, par exemple. On peut toujours rêver… J'ai donc téléphoné à mon oncle. Je suis tombée sur son répondeur. C'est vrai, j'avais oublié : il se trouve en Égypte, maintenant! Je lui ai quand même laissé un message. Il l'écoutera quand il reviendra à Montréal.

« Bonjour oncle Alex! C'est Alice. Tu as visité les pyramides? J'aimerais savoir où tu as acheté le cahier rose et le cahier vert que tu avais choisis pour mes 10 ans. Penses-tu que je pourrais en trouver d'autres, identiques, mais de couleurs différentes? Merci de m'en donner des nouvelles! Et viens nous voir quand tu rentreras. Tu nous raconteras ton voyage. »

À propos, je n'avais pas encore situé l'Égypte sur ma carte du monde. Comme je savais que ce pays se trouve en Afrique du Nord, je n'ai pas eu de mal à le repérer. J'y ai planté une punaise en plein milieu. C'est décidé : plus tard, je voyagerai comme oncle Alex. En attendant, je passe mon temps à me gratter… Tiens, avec toutes ces punaises rouges, ma carte du monde a, elle aussi, l'air d'avoir la varicelle!

## Jeudi 4 mars

J'ai un million de boutons, mais, au moins, mon visage est épargné. Grand-maman m'a téléphoné.

— Et puis, ma belle Alice, comment vas-tu?

— C'est l'enfer! J'ai des boutons partout! Quand je pense que je pourrais être chez vous avec mes cousins…

— Comme vous ne pouviez pas venir, Caroline et toi, Olivier et Félix ont décidé de rester chez eux. Vous vous retrouverez ici à Pâques. Tu vois, Alice, tu n'as rien manqué. Et n'oublie pas que nous, on se voit dans deux semaines. Je viendrai m'installer chez vous pendant le séjour de tes parents en Floride.

Elle est gentille, grand-maman. Ça m'a un peu remonté le moral.

## Vendredi 5 mars

Mon visage *était* épargné. Ce matin, en m'apercevant dans le miroir, j'ai poussé un cri. Mes joues, mon nez, mon front, mon menton et mon cou sont couverts de boutons! C'est l'horreur absolue! Moi qui avais espéré m'en tirer à bon compte… C'était sans compter le microbe particulièrement virulent de Gigi Foster! Caro et Zoé l'ont attrapé, elles aussi. Pour apaiser les démangeaisons, j'applique sur chaque bouton une lotion verte que maman a rapportée de la pharmacie. Ça me prend un temps fou! Et dire que je suis censée être en congé…

Depuis que j'ai la varicelle, c'est bizarre, les Crocolatos me tentent moins. Et ça paraît. On dirait qu'un sort a frappé cette cinquième boîte : son niveau ne semble pas diminuer… Pourtant, si je veux recevoir le merveilleux-mirobolant-mirifique-tee-shirt de Lola Falbala, il va falloir mettre les bouchées doubles. Ce matin, j'ai demandé à papa s'il voulait des Crocolatos. Il a dit oui. Bon, y a de l'espoir!

Marie-Ève m'a appelée. Elle est revenue d'Ottawa.

— J'ai pensé que si tu étais libre, on pourrait aller au cinéma.

— Impossible, ai-je gémi. J'ai attrapé la varicelle de Gigi Foster !

— Quelle malchance ! s'est exclamée mon amie. Mais si tu veux, je peux passer l'après-midi avec toi.

— Je ne pense pas que ce soit une bonne idée. La varicelle est très contagieuse !

— Aucune importance ! a déclaré Marie-Ève. Je l'ai eue à la maternelle, et on ne l'attrape pas deux fois.

— C'est vrai ?! Tu viendrais ? Et tu ne moqueras pas de moi ?

— Pourquoi tu dis ça ?

— Parce que tu ne reconnaîtras pas ta meilleure amie ! Si au moins on était à la fin octobre, je n'aurais pas à me creuser les méninges pour l'Halloween… Je teindrais mes cheveux en vert et je serais Écila Yrbua, la monstrueuse créature des marais qui se gratte jusqu'au sang !

— Écila Yrbua ?

— C'est Alice Aubry écrit à l'envers. Je t'assure que je remporterais le prix du meilleur déguisement !

— C'est à ce point-là ? s'est étonnée Marie-Ève.

— Malheureusement, je n'exagère pas, ai-je soupiré.


Un quart d'heure plus tard, quand je lui ai ouvert la porte, Marie-Ève a eu un mouvement de recul. Elle a compati.

— Pauvre Alice ! Mais regarde ce que je t'ai apporté : le DVD du premier concert de Lola Falbala à Las Vegas ! C'est ma mère qui l'a enregistré pendant mon absence. Et je me suis arrêtée au dépanneur pour acheter tes chips préférés.

Elle est chou, mon amie! Les chips barbecue, ça change des Crocolatos! Et le concert de Lola Falbala m'a fascinée. Elle chante et danse en secouant sa cascade de boucles noires au milieu d'effets lumineux époustouflants. C'est trop beau! Changement de sujet : je me demande si Lola Falbala a déjà eu la varicelle. Qu'est-ce que ça me chatouille, ces boutons! Je fais quand même attention de ne pas gratter ceux de mon visage. Je ne tiens pas à ressembler, toute ma vie, à un monstre d'Halloween couvert de cicatrices!

## Dimanche 7 mars

Mes boutons ont commencé à sécher. Pas question, cependant, de retourner demain à l'école. Patrick se tordrait de rire et Éléonore me ferait une remarque désobligeante! Sans compter Gigi Foster... Elle serait trop contente de me l'avoir refilée, sa bête varicelle!

## Lundi 8 mars

Marie-Ève m'a passé un coup de fil après l'école.
— Salut Alice! Tu vas mieux?
— Bof..., ai-je soupiré.
— Je n'ennuie de toi! Quand reviens-tu en classe?
— Demain. Mes parents y tiennent, vu que je ne suis plus contagieuse.

— Si ça peut te consoler, tu n'es pas la seule à avoir attrapé la varicelle de Gigi. Il y a eu une véritable épidémie en 5e B ! Et tu sais, quoi ? Tu as eu de la chance de ne pas être venue à l'école aujourd'hui ! Monsieur Gauthier était malade.

— Lui aussi a la varicelle ?

— Non, simplement un rhume. Cependant, quand il est souffrant, ce ne sont pas des galets qu'il distribue à ses élèves mais des zéros ! Éléonore en a eu un cet après-midi !

— Éléonore ?! Pas possible !

— Si, et simplement parce qu'elle a eu le malheur de dire « C'est dégoûtant ! » à Patrick qui venait de péter. Il faut dire que ça puait affreusement ! Miss Parfaite n'en revenait pas d'avoir zéro ! Tu aurais dû voir sa tête…

J'ai demandé à mon amie si notre enseignant nous avait attribué de nouvelles places.

— Oui, a-t-elle répondu. Te voilà à côté de Catherine Frontenac. Et moi, devine avec qui je suis assise ?

— Quand même pas Éléonore ? Non, tu as déjà été sa voisine durant tout le mois de septembre. Gigi Foster alors ? Ou Patrick ?

Marie-Ève a soupiré :

— Non, Simon…

Pauvre Marie-Ève, elle n'a pas de chance ! Dire que les mois précédents, elle rêvait de se retrouver à côté de son chum ! Et maintenant qu'elle ne l'aime plus, la voilà obligée de s'asseoir avec lui…

## Mercredi 10 mars

Ce matin, ma meilleure amie a couru à ma rencontre.

— Alice, Alice, devine ce que j'ai découvert hier ?!

— Euh! je ne sais pas. Une formule magique pour neutraliser Cruella? Un trésor fabuleux?

— Presque! Dans le magazine *MégaStar*, on présentait le site Internet de Lola Falbala. J'y ai passé le reste de la soirée! Je ne t'en dis pas plus, Alice! Je te laisse la surprise! Tu n'as qu'à taper www.lola-falbala.com*.

Marie-Ève avait piqué ma curiosité au vif. Maman est passée nous chercher à l'école, Caro et moi. On avait rendez-vous chez Cindy, la coiffeuse qui a des cheveux blond platine. Depuis la dernière fois, elle s'était fait tatouer un petit dragon sur l'épaule. Cindy, elle me coupe bien les cheveux, elle. C'est pas comme monsieur Tony! De retour à la maison, je me suis précipitée dans le bureau. Papa s'y trouvait. Il était en train de fouiller dans ses classeurs.

— Bonsoir papa, ai-je dit. Je peux aller à l'ordi?

— Pas ce soir, ma puce, a-t-il répondu sans même lever la tête. Je prépare une réunion pour demain. Je n'aurai sans doute pas fini avant minuit.

Quand mon père a une réunion avec Sabine Weissmuller, cher journal, on ne rigole pas! Je lui ai demandé si je pouvais au moins jeter un coup d'œil sur www.lola.falbala.com.

— Non, pas ce soir, a-t-il répété.

---

* Ce site est imaginaire, puisque Lola Falbala est un personnage créé par l'auteure.

C'est terriblement frustrant! Papa travaille rarement le soir à l'ordinateur, et il fallait que ça tombe aujourd'hui… Au moins, il m'a promis que demain l'ordi sera libre.

## Jeudi 11 mars

J'attendais Marie-Ève sous l'érable quand Karim est arrivé.
— Salut Alice! Tes cheveux sont magnifiques!
— Oh, magnifiques! Tu exagères…, ai-je protesté.
— Pas du tout. Ta coupe te va vraiment bien.
— Merci, ai-je dit en sentant mes joues rougir.
— Wow! Tes cheveux sont super! s'est exclamée à son tour Marie-Ève qui nous avait rejoints. Ils ont du volume!
Pour une fois… Changeant de sujet, mon amie m'a demandé :
— Et puis, le site de Lola Falbala? Qu'est-ce que tu en penses?
— Je n'ai pas encore pu le visiter, ai-je soupiré. Mon père a monopolisé l'ordi toute la soirée…

En rentrant de l'école, j'ai filé dans le bureau. J'ai ouvert l'ordinateur et… rien. J'ai pesé plusieurs fois sur l'interrupteur, mais l'écran est resté désespérément noir. Pas la peine d'aller trouver ma mère. Elle n'y connaît rien en informatique. Il fallait donc attendre papa. Au souper, quand j'ai demandé à maman où il se trouvait, elle a répondu :
— On est entre filles, ce soir, Biquette. Marc vient de me téléphoner. Lui et sa directrice amènent leurs clients au restaurant.

21 h 50. Mon père n'est toujours pas là. Je suis frustrée, cher journal, mais alors frustrée ! GRRR ! Je vais rejoindre Grand-Cœur qui somnole sur ma couette. Bye !

## Vendredi 12 mars

Ce matin, quand j'ai exposé le problème à papa, il a dit :
— Bizarre ! Je vais aller voir.

Deux minutes plus tard, il était de retour dans la cuisine.
— Et voilà, Alice, c'est réparé, a-t-il annoncé.

Il faut dire que mon père, c'est un as de l'informatique !
Mais il était l'heure de partir à l'école…

À 15 h 45, je n'ai eu aucun problème, cette fois, à ouvrir l'ordinateur. Par contre, lorsque j'ai tapé www.lola.falbala.com, un message est apparu : site inconnu. J'étais sur le point **d'exploser** de frustration. En désespoir de cause, j'ai essayé www.lola-falbala.com, avec un tiret entre lola et falbala plutôt qu'un point. La page d'accueil s'est ouverte… et WOW ! Ce site contient des tas de photos de Lola Falbala ainsi que les clips de ses chansons et leurs paroles, pour chanter en karaoké. J'ai consulté le calendrier de ses concerts. Malheureusement, elle ne vient pas à Montréal. En cliquant sur l'onglet *Les fringues de Lola,* on découvre son style de vêtements et les boutiques où elle les achète : New York, Londres ou Paris. Pendant que je naviguais sur le site, des «pops» publicitaires où on voyait Lola Falbala se régaler de Crocolatos ou se plonger dans la lecture du magazine

*MégaStar* apparaissaient régulièrement. Mais il suffisait d'un petit clic pour les effacer et continuer à découvrir l'univers de la chanteuse.

Je me suis dépêchée de faire mes devoirs pour retourner sur le site après le souper. Il présente même l'amoureux de Lola Falbala. (C'est son guitariste.)

## Lundi 15 mars

C'est vraiment agréable d'être assise en classe à côté de Catherine Frontenac. On bavarde beaucoup toutes les deux et aujourd'hui, on a eu un de ces fous rires ! Heureusement que monsieur Gauthier est indulgent… Catherine, elle dessine dans la marge de son cahier de brouillon. Un peu comme les gribouillis que je fais dans mon journal, sauf que ses croquis à elle sont vraiment beaux !

## Jeudi 18 mars

Au déjeuner, papa s'est impatienté. Avec Caro qui récitait pour la dixième fois sa poésie sur les jonquilles, et Zoé qui geignait, il ne parvenait pas à entendre les infos à la radio. De plus, il était pressé. Juste avant sa semaine de congé, il avait une autre réunion avec la redoutable Sabine Weissmuller. Quand j'ai vu qu'il se faisait griller des toasts plutôt que de se servir des Crocolatos, je n'ai pu m'empêcher de lui demander :

— Et les céréales, papa, tu en mangeras demain ? Il ne me reste plus que dix points à…

Mon père est sorti de ses gonds.

— J'en ai assez de bouffer ces machins-là, Alice !

— Marc !!! s'est exclamée maman, scandalisée.

Ma mère ne supporte pas le moindre gros mot. Et pour elle, « bouffer » est un gros mot… Elle a ajouté :

— Mais quand même, je te comprends, mon chéri. Ces soi-disant céréales sont bourrées de sucre. Cette compagnie utilise l'image de Lolly Tacata…

Caro l'a interrompue.

— C'est qui, Lolly Tacata ?

— Personne ! ai-je répondu. Maman veut dire Lola Falbala.

— C'est ça, a acquiescé ma mère. Je disais donc que cette compagnie utilise l'image de cette chanteuse pour vendre son produit.

— Tu oublies que j'aurai un tee-shirt gratuit ! ai-je précisé.

— Pas si gratuit que ça ! a-t-elle répliqué. Avec toutes ces boîtes que tu me fais acheter, il nous reviendra cher, ton tee-shirt ! Si tu le reçois un jour…

— Mais évidemment, maman, que je le recevrai !

Papa a avalé son jus d'orange si vite qu'il en a renversé sur sa chemise bleue. Il a poussé un juron. Maman s'est à nouveau offusquée, mais mon père avait déjà bondi à l'étage pour se changer. On aurait dit un guépard ! En effet, hier, pendant la leçon sur les records des animaux, monsieur Gauthier nous a appris que le guépard est l'animal le plus rapide au monde. Il peut atteindre des pointes de plus de 120 km/heure, ce qui est presque deux fois plus rapide que notre vieille voiture ! Donc, notre guépard, vêtu cette fois d'une chemise noire, d'une cravate rouge et d'un costume noir, a dévalé l'escalier. Saisissant sa mallette, il est passé en trombe sans nous dire au revoir. Le temps qu'il enfile son manteau et ses bottes, la porte d'entrée a claqué. Ouf! Quel calme, tout à coup…

Je terminais mes Crocolatos quand BOUM ! BOUM ! BOUM !, on a tambouriné sur la porte d'entrée. Maman, qui donnait un biberon à Zoé, a soupiré.

— Va donc voir, Biquette. Papa a dû oublier sa clé d'auto.

En ouvrant la porte, un paquet est tombé à mes pieds. Sauf que ce paquet… c'était mon père ! Je me serais crue dans une série télévisée. J'ai regardé dans la rue. Mais aucun bandit armé d'un revolver fumant ne s'enfuyait à toutes jambes. Aucune limousine aux vitres teintées ne démarrait sur les chapeaux de roues. D'ailleurs, papa ne semblait pas troué de balles ; il ne saignait pas. Mais il se tenait à quatre pattes et il grimaçait de douleur. J'étais pétrifiée.

Maman est arrivée. Quand elle a aperçu son homme, elle s'est précipitée en criant :

— Chéri, tu es blessé ! Que s'est-il passé ?

Le chéri en question s'était coincé un muscle du dos en pénétrant trop vite dans la voiture. Il était tout simplement incapable de se redresser. Ma mère s'est exclamée :

— J'appelle l'ambulance !

— Non ! a répondu mon père. Ce n'est pas nécessaire.

— Comment ça, pas nécessaire ?! Regarde donc dans quel état tu te trouves ! Laisse-moi appeler le 911.

— Il n'en est pas question, Astrid ! Ça doit être un lumbago. Tu vas m'aider à m'installer au lit. Et j'ai besoin d'un médicament contre la douleur.

Il est rentré et, toujours à quatre pattes, il a grimpé péniblement les marches de l'escalier.

— Ce n'est rien, ce n'est rien, répétait-il.

Mais moi, je voyais bien que ce n'était pas rien.

Je plaignais papa qui a l'air d'avoir très mal. En même temps, je ressentais une furieuse envie de rire. J'ai filé aux toilettes pour ne pas exploser de rire devant lui. Mon père, si pressé d'arriver à sa réunion, se retrouvait cloué au lit ! Caroline, qui sortait de notre chambre, a constaté d'un air étonné :

— C'est la première fois que je vois papa se coucher en cravate !

Cette fois, je n'ai pu m'empêcher de pouffer de rire. Fronçant les sourcils, maman m'a fait taire d'un geste de la main. Caroline a haussé les épaules et est retournée dans notre chambre. Papa a réclamé le téléphone. Il a pris son courage à deux mains pour appeler Sabine Weissmuller…

— Peux-tu t'occuper de tes sœurs ? m'a demandé maman. Il ne me reste plus de médicaments antidouleur. Je file à la pharmacie. Surtout, les filles, ne dérangez papa sous aucun prétexte !

Avec tout ça, il était déjà 8 h 25. On allait être en retard à l'école.

Bon, où était Zoé? J'ai jeté un coup d'œil dans la salle de bain. Elle avait rampé entre le mur et le pied du lavabo.

— Que fais-tu là, Zouzou? lui ai-je demandé.

En contournant le lavabo, j'ai aperçu son visage contrarié.

— Je vais t'aider à sortir.

Elle m'a tendu une main. Prenant ma petite sœur sous les bras, je l'ai tirée doucement. Elle n'a pas bougé d'un pouce. Alors, je suis retournée de l'autre côté et je l'ai tirée par les jambes. Ça ne fonctionnait pas non plus. Notre bébé chéri était bel et bien coincé. Lorsqu'elle l'a réalisé, elle a commencé à pleurer. De sa chambre, mon père a crié :

— Occupe-toi donc du bichon, Alice!

— C'est ce que je suis en train de faire!

Tentant une nouvelle fois de dégager ma petite sœur de sa mauvaise posture, je l'ai saisie par les hanches. Lorsque j'ai tiré, j'ai entendu un craquement. Zoé s'est mise à pousser des cris perçants. Oh non!... Pourvu que je ne lui aie pas brisé un os! Épouvantée, je l'ai abandonnée à son sort pour aller expliquer la situation à papa qui s'impatientait.

— Je suis incapable de bouger, a-t-il déclaré. Alors appelle le 911 pour qu'ils viennent délivrer ta sœur!

Le 911! Dire qu'il y a quelques minutes, il ne voulait pas en entendre parler du 911! Enfin, j'ai fait ce qu'il m'a dit de faire.

Quand maman est rentrée, je suis allée l'accueillir. Elle était toute pâle.

— Que s'est-il passé, Alice ? m'a-t-elle demandé. Pourquoi y a-t-il une voiture de police, un camion de pompiers et une ambulance devant chez nous ? Papa va plus mal ?

— C'est pas pour papa mais pour Zoé, ai-je précisé.

— Pour Zoé ! s'est-elle écriée, affolée. Que lui est-il donc arrivé, à ma Prunelle ?

Elle a bondi vers l'escalier. Pour la rassurer, je lui ai expliqué que, malgré les apparences, tout allait pour le mieux. À part le dos de papa, toujours bloqué, bien sûr. Maman a trouvé Zouzou en train de gazouiller dans les bras du pompier qui l'avait délivrée. L'ambulancier l'avait examinée. À mon grand soulagement, elle n'avait rien de cassé ! Quant à papa, il a décliné l'offre des ambulanciers.

— Non merci, je ne veux pas aller à l'hôpital, a-t-il répété. Avec les anti-inflammatoires, la pommade chauffante, les massages d'Astrid et du repos, je serai vite sur pied.

On voit de qui Caro tient son côté tête de mule !

La policière a demandé :

— Et vos grandes filles, elles ont congé ?

— Oh ! s'est exclamée maman en regardant sa montre. Effectivement, à l'heure qu'il est, elles devraient être en classe !

— Si ça peut vous dépanner, je les dépose à l'école.

Caro et moi, on s'est présentées chez madame Normandin, la secrétaire. On lui a raconté la raison de notre retard.

— Eh bien ! C'était un début de journée mouvementé, a-t-elle commenté en souriant. J'espère que votre papa sera bientôt guéri. Et maintenant, montez vite en classe. Il est déjà 9 h 30.

9 h 30 ! Le cours d'anglais allait commencer... J'ai piqué un sprint dans l'escalier. Peine perdue, la porte de ma classe était déjà fermée. J'ai entendu Cruella demander :

— Karim, veux-tu distribuer les feuilles du contrôle ?

Oh non ! Pas un contrôle surprise ! Hier soir, j'avais parcouru les deux pages d'anglais un peu vite, pour avoir le temps d'aller sur www.lola-falbala.com. Tout à coup, j'avais l'impression d'avoir tout oublié. Je ne me rappelais même plus sur quoi portait la leçon... Bon, je ne pouvais pas rester éternellement derrière la porte. Cruella allait être furieuse, mais tant pis, je n'y pouvais rien. Prenant mon courage à deux mains, j'ai frappé trois petits coups.

— Entrez !

— C'est à cette heure-ci qu'on arrive à l'école, Alice Aubry ?! s'est exclamée la prof.

— Je suis en retard parce que...

— Taratata ! m'a-t-elle interrompue. Je n'ai pas le temps d'écouter tes justifications ! File à ta place et que je n'entende plus parler de toi aujourd'hui !

Puis, elle s'est adressée à toute la classe.

— Appliquez-vous ! Je vous donne dix minutes pour le contrôle, pas une de plus.

Dans ces conditions, tu peux t'imaginer, cher journal, que je n'ai pas du tout réussi le test ...

Ce soir, le dos de papa est encore bloqué.

— Il ne pourra jamais prendre l'avion après-demain, a soupiré maman.

Quelle malchance quand même! Et dire que ce voyage à deux semblait indispensable pour consolider la flamme amoureuse de mes parents fatigués…

## Vendredi 19 mars

Aujourd'hui, papa a recommencé à marcher. Mais il n'a plus rien d'un guépard! On dirait plutôt un petit vieux qui aurait besoin d'une canne… Malgré tout, il est décidé à partir en Floride.

— Tu es sûr que c'est prudent, Marc? lui a demandé maman.

Et si le dos de papa se coinçait à nouveau alors qu'il se trouvait dans les toilettes de l'avion? À cette idée, j'ai failli pouffer de rire.

— Aucun problème, Astrid, a déclaré mon père. Tu me pousseras en fauteuil roulant dans l'aéroport. Une fois sur place, comme notre hôtel donne sur la plage, je n'aurai pas beaucoup à marcher. D'ici deux ou trois jours, ce tour de reins devrait avoir disparu.

Grand-papa et grand-maman sont arrivés après le souper. Ils se sont installés dans la chambre du sous-sol. Grand-maman a sorti un gros roman policier de sa valise. Sur la couverture, on voit un banc devant un buisson, dans un parc désert, le soir. Le titre : *Meutre au clair de lune*. BRRR, moi ça me ferait faire des cauchemars, une lecture pareille! Mais ma grand-mère, elle, adore les polars.

Après avoir bouclé leurs bagages, mes parents sont venus border Caro. Ils étaient prêts, eux aussi, à se mettre au lit vu qu'ils doivent se lever à 4 h du matin pour se rendre à l'aéroport. Maman nous a répété les 1001 consignes qu'elle nous avait déjà données hier soir…

- Se coucher à 20 h pour Caroline et à 21 h pour moi
- se brosser les dents matin et soir
- ne pas manger de bonbons le soir après s'être brossé les dents
- passer la soie dentaire
- mettre la table et la débarrasser
- vider le lave-vaisselle
- sortir les poubelles mardi et vendredi avant de partir pour l'école
- sortir le bac de recyclage vendredi en même temps que les poubelles
- vider sa boîte à lunch en rentrant de l'école, la nettoyer, se laver les mains et faire ses devoirs
- bien étudier ses leçons d'anglais, etc.

Ouf! Il est temps qu'ils partent! Elle a ajouté :
— Et j'espère, Biquette, que tu ne passeras pas toutes tes soirées sur le site de cette Latifa Balla!
— Le site de Lola Falbala? Non, non, ne t'en fais pas!

## Samedi 20 mars

Mon rêve a été déchiré par le vrombissement d'un moteur. Caro a couru à la fenêtre et a ouvert les stores si vite qu'ils ont grincé affreusement. Dur, dur, d'être réveillée de cette façon un samedi matin !

— Viens vite, Alice ! C'est papa et maman !

J'ai rejoint ma sœur devant la fenêtre. En effet, nos parents se trouvaient peut-être à bord de cet avion qui montait dans le ciel ! Bon voyage !

8 h 50. BURP... J'ai une *overdose* de Crocolatos. Ce matin, rien que l'idée de m'en verser un bol m'a coupé l'appétit. Mais pas question d'abandonner si près du but ! J'ai proposé à mes grands-parents d'en manger eux aussi. Je leur ai expliqué la raison.

— Je veux bien essayer, a dit grand-maman.

— Et puis, tu aimes ? me suis-je informée, pleine d'espoir.

— C'est tellement sucré ! Désolée, ma belle Alice, mais j'ai peur que ça me donne mal à l'estomac !

Grand-papa, lui, est d'accord pour m'aider à terminer la boîte.

## Dimanche 21 mars

Aujourd'hui, c'est soi-disant le printemps. Mais il faut avoir une imagination **débordante**, cher journal, pour se figurer le vrai printemps, avec du gazon aussi vert que mon cahier et pas l'espèce de paille décolorée et raplapla qui apparaît quand la neige fond. Le vrai printemps avec des lilas, une balade en sandales, mini-jupe et tee-shirt de Lola Falbala. En attendant, j'en connais qui en ont de la chance ! À cette heure-ci, mes parents doivent siroter un apéro les pieds nus dans le sable, en contemplant l'océan. Enfin, en allant sur www.lola-falbala.com, moi aussi j'ai ma dose de palmiers !

21 h 05. Depuis que nos parents sont partis, Zoé n'arrête pas de pleurnicher. Ce soir, elle hurlait carrément. Heureusement, certains trucs parviennent à lui changer les idées.

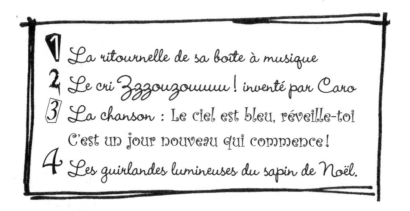

1 La ritournelle de sa boîte à musique
2 Le cri Zzzouzouuuu ! inventé par Caro
3 La chanson : Le ciel est bleu, réveille-toi
C'est un jour nouveau qui commence !
4 Les guirlandes lumineuses du sapin de Noël.

En passant, il trône toujours au salon, le sapin. Cette année, c'est un record ! Mais pour Zoé, c'est toujours aussi magique. Du coup, ça fait une heure que grand-maman berce sa petite-fille devant l'arbre de Noël ! La pauvre ! Elle n'a jamais le temps de se plonger dans son roman policier.

## Lundi 22 mars

En partant pour l'école, Caro a dit :

— Regarde, Alice ! Les nains sont de retour !

En effet, les nains de jardin sont réapparus dans la plate-bande de madame Baldini, parmi les plaques de neige. Chaque année, c'est la façon qu'a notre voisine de souligner l'arrivée du « printemps ». Bon, y a de l'espoir !

À 19 h 30 tapant, ma sœur et moi, on a commencé à regarder *Samantha et ses colocs,* une émission de téléréalité super cool, en grignotant du *pop-corn*. Pas sur la TV du sous-sol, non, sur le grand écran de celle de mes parents, dans leur chambre. On en profite parce que, d'habitude, on n'a pas le droit de regarder la télé en semaine. De plus, maman n'aime pas qu'on voie *Star Académie* et les autres émissions de ce style. Elle dit que ce n'est pas pour notre âge et pas intéressant. Pas intéressant pour elle, c'est possible. Moi, ça me passionne !

À la fin de l'émission, on est allées retrouver grand-maman qui mettait Zoé en pyjama.

— Bonne nuit, ma belle Caroline ! lui a-t-elle dit. Fais de beaux rêves.

— Merci grand-maman ! Bonsoir Zouzou ! ZZzOUuuu ! ZZzOUuuu ! ZZzOUZOUuuu !

Notre bébé chéri a éclaté de rire. J'ai aperçu quelque chose de blanc dans sa bouche. Sa première dent !

— Oh, c'est pour ça qu'elle est maussade, ces jours-ci ! a dit grand-maman. Et moi qui croyais que c'était uniquement parce qu'elle s'ennuyait de ses parents ! Pauvre trésor !

## Mardi 23 mars

Au lieu d'installer ses cochons en peluche sous sa couette, comme chaque soir, Caroline les a alignés contre le mur.
— Qu'est-ce que tu fais ? lui ai-je demandé.
— Tu vas voir !

Elle a grimpé sur son lit et s'est mise à sauter aussi haut que sur son trampoline. Grand-Cœur se trouvait sur mon lit.
— Désolée, lui ai-je dit en le déposant à terre. J'ai besoin de toute la place.

À mon tour, je me suis mise à bondir sur mon lit ! Même si les ressorts grinçaient, grand-maman n'a pas débarqué dans notre chambre pour nous demander de cesser immédiatement, comme l'aurait fait maman.

On s'amusait comme des folles ! Tout à coup, j'ai eu une idée. Je me suis écriée :
— Lance-moi tes cochons !
— Oh non, ils risqueraient de tomber à terre ! a répondu ma sœur.
— C'est pas grave. Allez, Caro, ce serait rigolo !
— Nouf-Nouf, Naf-Naf et Nif-Nif ont le vertige, m'a-t-elle expliqué d'un air sérieux. La queue de Tire-Bouchon est fragile. Et Cochonnet est bien trop petit. Il serait mort de peur !

— Alors, Betty ? ai-je suggéré.

— Bon, d'accord. C'est vrai que Betty aime les sensations fortes !

Et HOP ! HOP ! HOP ! On s'est lancé l'intrépide Betty d'un lit à l'autre en riant de plus belle !

À bout de souffle, on s'est effondrées sur nos lits. Puis, on a dégusté le sac de chips au ketchup qu'on avait acheté en revenant de l'école. De temps en temps, cher journal, ça fait un bien fou d'avoir congé de parents :

1. Maman n'est pas là pour s'exclamer : « Quel bazar, Alice ! Il est temps de faire le ménage ! » Moi, je l'aime bien, mon bazar ! Et cette semaine, je me donne congé de rangement.

2. Grand-maman me met des super bonnes collations dans ma boîte à lunch et pas seulement des pommes ou des cubes de cheddar. Elle a même acheté deux litres de Citrobulles et m'en a rempli une petite bouteille pour ce midi !

3. Ses desserts ne sont jamais au soya.

4. Papa n'est pas là pour vérifier mes devoirs de fractions ni pour me demander si j'ai bien étudié mon anglais.

5. Caro, elle, profite de l'absence de maman pour inonder son assiette de ketchup.

## Mercredi 24 mars

Il pleuvait tellement, ce matin, que la cour d'école était vide. Je suis rentrée. Marie-Ève guettait mon arrivée à l'entrée de la grande salle. Elle avait l'air tout excitée.

— Je passerai le congé de Pâques chez mon père, m'a-t-elle annoncé. Et je viens d'avoir une idée **géniale !**

— Laquelle ? ai-je demandé.

— J'aimerais que tu m'accompagnes à Ottawa !

— Oh ! me suis-je exclamée. Ce serait tellement cool ! Et ton père, il est d'accord ?

— Il n'est pas encore au courant, a-t-elle répondu. Mais je ne vois pas pourquoi il refuserait. Et tes parents, ils diraient oui, tu crois ?

— Ça ne devrait pas poser de problème non plus. Je devrai attendre leur retour pour le leur demander.

— Moi, je téléphone ce soir à mon père !

Je devais partir chez mes grands-parents à Pâques... C'est vrai que j'avais très envie de retrouver Olivier et Félix. Mais bon, ce sera pour une autre fois. Car rien ne me tente plus, cher journal, que de passer le congé avec Marie-Ève et de découvrir l'endroit où elle vit avec son père ! Sans compter que je ne suis jamais allée à Ottawa. Ce serait vraiment chouette de visiter la capitale du Canada avec ma meilleure amie ! Papa et maman ne devraient pas être difficiles à convaincre. Ils connaissent monsieur Letendre (le papa de Marie-Ève) depuis des années.

Après le souper, j'ouvrais mon livre d'anglais au moment où Marie-Ève a appelé. Son père est d'accord pour que je vienne à Ottawa. Pourvu que mes parents acceptent, eux aussi! Puis, on a frappé à la porte de ma chambre.

— C'est moi, Alice, a dit grand-maman. Avec Zoé.

— Entre!

— Il ne reste plus de lait pour demain matin, a-t-elle expliqué. Peux-tu garder tes sœurs pendant que je vais au dépanneur?

— Bien sûr, ai-je répondu en souriant à notre bébé chéri.

Je lui ai chanté *A real man* une chanson **très** rythmée que j'ai apprise par cœur. Zoé était aux anges! Qu'est-ce qu'elle est cool, ma petite sœur! Elle n'a pas encore sept mois et elle apprécie déjà Lola Falbala! Quand j'ai repris le refrain, elle s'est carrément mise à rire. Oh! sur sa gencive du bas, il y a maintenant une deuxième petite dent!

— Bravo Zouzou! Tu es une championne! Tu sais, c'est bien pratique, des dents, pour croquer des chips et du chocolat à la menthe!

Soudain, Caroline a appelé :

— Alice, Alice! Viens vite!

— Où es-tu? ai-je demandé en me relevant.

— Aux toilettes! Dépêche-toi!

J'ai foncé dans le couloir. En arrivant aux toilettes, j'ai été suffoquée par l'odeur! Caro était penchée au-dessus de la cuvette.

— Qu'est-ce que tu fais là? Tire la chasse et lave-toi les mains!

— Mon papillon! a-t-elle lancé d'un air catastophé. La chaîne s'est détachée et il est tombé dans la toilette!
— Oh non!!!
— Ben oui, regarde!

Prenant mon courage à deux mains, j'ai jeté un coup d'œil. Sur un gros caca brillaient en effet le pendentif et la chaîne en argent de ma sœur. Ça m'a soulevé le cœur. J'ai reculé précipitamment.
— S'il te plaît, Alice, répêche-le!
— Voyons, Caro, tu n'imagines quand même pas que je vais faire une chose pareille! C'est dégoûtant! Viens, sortons d'ici, c'est irrespirable!
— Allez, Alice! m'a-t-elle suppliée en me tirant par le bras. C'est mon porte-bonheur! Tu dois absolument le sortir de là!
— Tu es folle! Il n'en est pas question!
— Bon, dans ce cas, je vais le récupérer moi-même!
— **Nooon!** ai-je crié, épouvantée.
Et j'ai tiré la chasse. L'eau, tourbillonnant dans la cuvette de la toilette, a tout emporté sur son passage. Caroline a poussé un cri de désespoir :
— Mon porte-bonh**e**uuur!
Dans ma chambre, Zoé s'est mise à pleurer. Pas étonnant, avec toute cette agitation!
— Tu es méchante! a hurlé Caro en tapant du pied. Tu es **affreuse!**
— Que se passe-t-il? a demandé grand-maman en bas de l'escalier. Vous vous disputez?

Elle était de retour! Caroline a couru lui expliquer le *crime* que j'avais commis. Moi, j'ai rejoint la pauvre Zouzou qui sanglotait toujours. Après l'avoir consolée, je l'ai portée à grand-maman.

— Et puis, il s'est passé un drame en mon absence? m'a-t-elle demandé gentiment.

— J'ai tiré la chasse sans réfléchir, ai-je expliqué. J'ai eu peur que Caroline plonge sa main dans la cuvette! Avec elle, on ne sait jamais! J'aurais dû la faire patienter jusqu'à ton retour…

— C'est vrai. J'aurais trouvé un moyen de récupérer et de nettoyer le bijou de ta sœur. Mais on ne peut pas revenir en arrière, ma belle Alice. Alors ne t'en fais pas. Caroline se trouvera un autre porte-bonheur.

Quand je suis revenue dans notre chambre, Caro, couchée dans son lit, a brusquement rabattu la couette sur sa tête.

— Va-t-en! a-t-elle crié. Je te **déteste!** Tu m'as brisé le cœur! Je le dirai à nos parents!

Comme un acte d'accusation, sa boîte à bijoux était ouverte sur sa table de chevet. Vide, bien sûr. J'te jure, cher journal, que c'est pas toujours facile d'être une grande sœur!

## Jeudi 25 mars

Journée meuh meuh. Je t'explique, cher journal. Pendant notre trajet vers l'école, Caro boudait ferme. Elle refusait de marcher à ma hauteur. Je me suis tournée vers elle.

— Écoute, je suis vraiment désolée pour ton papillon, lui ai-je dit. Je ne l'ai pas fait exprès et…

— HAAAAA…

Se mettant à crier, ma sœur a bouché ses oreilles avec ses mains pour ne pas m'entendre.

J'ai eu 3/10 au contrôle d'anglais. De plus, hier, après tous ces événements, j'avais oublié d'étudier ma leçon pour aujourd'hui. Cruella, qui m'a interrogée, m'a collé un 1/10. Et mes parents qui reviennent dans deux jours…

## Vendredi 26 mars

Cette nuit, assise à la table de cuisine, je grignotais des Crocolatos. Soudain, de la boîte de céréales a jailli une pluie d'étoiles chocolatées. C'était presque aussi beau qu'un feu d'artifice ! Sauf que ça n'arrêtait plus. Le sol était jonché de Crocolatos. Leur niveau montait rapidement (comme dans les machines à *pop-corn*, au cinéma). N'ayant aucune envie de finir ensevelie sous une montagne de Crocolatos, j'ai voulu prendre mes jambes à mon cou. Mais pas moyen de faire le moindre geste. J'étais paralysée. La fontaine de Crocolatos continuait à projeter les céréales et leur niveau atteignait mon ventre. Si cette éruption diabolique ne s'arrêtait pas, j'allais mourir étouffée. Paniquée, j'ai crié :
— Papa ! Maman ! Sauvez-moi !

Mon cœur s'est glacé quand je me suis souvenue qu'ils ne pouvaient pas m'entendre puisqu'ils se trouvaient à Miami, à plus de 2 000 km de la rue Isidore-Bottine !

La porte de la chambre s'est ouverte. Grand-maman a chuchoté :

— Que se passe-t-il ?

— Oh, c'est toi ! me suis-je exclamée, soulagée. J'ai fait un cauchemar !

— Tu as rêvé de quoi ? a demandé Caro, que mes cris avaient réveillée.

C'était la première fois qu'elle daignait m'adresser la parole depuis la perte de son porte-bonheur. Grand-maman a dit :

— Pauvre Alice ! Va vite boire un verre d'eau. Puis, il faut se rendormir. On en parlera demain.

Ce matin, ma sœur m'a demandé :

— Alors, c'était quoi, ton cauchemar ?

Je le lui ai raconté. Et une deuxième fois à grand-maman dans la cuisine. Elle a déclaré :

— C'est peut-être parce que tu n'as plus très envie de manger ces céréales que tu as fait ce mauvais rêve.

— Tu as raison, ai-je reconnu. J'ai tellement avalé de Crocolatos que ça ne me tente plus d'en manger.

— Ne te rends pas malade, ma belle Alice ! Et si tu te préparais plutôt un toast, ce matin ?

— J'aimerais bien, grand-maman, mais si tu savais comme j'ai hâte de recevoir le tee-shirt de Lola Falbala ! Pour ça, je dois envoyer 40 points Star. La septième boîte de Crocolatos est presque finie…

Ma grand-mère a vidé le restant des céréales dans un contenant en plastique. Elle m'a tendue la septième boîte vide.

— Et voilà ! C'est pas plus compliqué que ça.

— Merci ! Mais il me manque encore cinq points. Il reste une boîte à acheter.

— Je m'en occupe ! a-t-elle promis. Ah, te voilà, Caroline ! Dépêchez-vous de déjeuner, les filles. Il est bientôt temps de partir à l'école.

En rentrant, cet après-midi, j'ai trouvé deux boîtes vides de Crocolatos sur mon bureau. Celle de ce matin et l'autre, la fameuse huitième et dernière boîte, que grand-maman a achetée aujourd'hui. Mais, vide ?! Par quel miracle ?

— J'ai versé toutes ces céréales dans trois grands contenants, m'a expliqué ma grand-mère. Je les rapporterai chez nous dimanche. Benoît (grand-papa) a l'air de les apprécier. Il n'aura qu'à les finir. COOOL !

16 h 04. Mission accomplie, cher journal ! Je viens d'aller mettre l'enveloppe contenant les précieux points Star dans la boîte postale au coin de la rue, devant le salon de coiffure de monsieur Tony. J'ai trop hâte de recevoir mon tee-shirt ! La livraison peut prendre jusqu'à cinq semaines. Ce qui tombe le 1er mai, si j'ai bien calculé. Dans mon agenda, à cette date, j'ai écrit Lola Falbala.

## Samedi 27 mars

Grand-papa, qui était arrivé hier soir après son travail, balayait le tapis d'aiguilles au pied du sapin. Il m'a dit :
— Et si on le dépouillait de ses décorations ? Vous n'allez tout de même pas le garder jusqu'à Pâques !

Zoé est fascinée par les guirlandes lumineuses, d'accord. Mais tout à l'heure, elle aura une belle surprise. En effet, nos parents rentrent de Floride ! Bref, j'ai aidé mon grand-père à ranger les boules de Noël, puis à sortir le sapin dans la rue. Un camion de la ville qui passait par là l'a tout de suite emporté.

Cet après-midi, grand-papa et Caro sont partis chercher nos parents à l'aéroport. Je me trouvais sur le site de Lola Falbala quand la sonnette a retenti. C'était maman ! Papa, lui, sortait les bagages du coffre de l'auto. Il se tient droit maintenant. Fini, le mal de dos ; on retrouve notre guépard ! Quand Zoé a aperçu maman, elle lui a tendu les bras. Maman l'a saisie et l'a serrée longuement contre elle avant de nous embrasser.

— Regardez bien ! a dit Caroline.

En s'avançant rapidement vers notre petite sœur, elle s'est écriée :
— ZZzou ZZzouuuu ! ZZzouzouuuu !

Notre bébé chéri s'est automatiquement mis à rire.

— Elle a des dents ! s'est exclamé papa.

— Quatre ! ai-je répondu fièrement. Pendant votre absence, elle a fait des dents en rafale !

Deux autres petites dents ont en effet poussé durant la nuit sur la gencive du haut. Elle est trop mignonne, comme ça, notre Zouzou! On dirait un hamster!

En entrant dans le salon, ma mère s'est écriée :
— Le sapin!
J'ai cru un instant qu'elle regrettait qu'on ait fait disparaître l'arbre de Noël. Mais non, bien au contraire! Elle était soulagée à l'idée d'avoir ça de moins à faire.

Au moment du dessert, on a éteint la lumière et on a entonné « Bonne fête Astrid! » En effet, ma mère a eu 38 ans hier. Caroline a déposé le gâteau devant elle. Les flammes des chandelles fascinaient Zoé au moins autant que les lumières du sapin. Mes parents ont l'air en pleine forme. La coupe de cheveux très courte de papa le rajeunit. Il ressemble à son frère Alex, comme ça. Il devrait toujours aller se faire coiffer à Miami plutôt que chez monsieur Tony! Ils m'ont offert une mini-jupe blanche. J'ai hâte de la porter avec le tee-shirt de Lola Falbala!

Mais tout à coup, BOUM! Je suis retombée sur terre quand papa m'a demandé comment ça avait été à l'école cette semaine.
— Très bien, ai-je répondu. J'ai eu 9/10 en dictée. Et 7/10 en maths.
— Super, ma puce! Et en anglais?
J'ai bien été obligée d'avouer mon 3/10 et mon 1/10... Mon père s'est exclamé :

— Eh bien, Astrid, la réalité de la vie familiale nous rattrape vite !

Mais maman est intervenue.

— Écoute, Marc, aujourd'hui, c'est un jour spécial. De plus, il est tard. Tout le monde est fatigué. Je crois que ce n'est vraiment pas le moment de discuter de notes, qu'elles soient bonnes ou mauvaises. On verra ça demain.

Fiouuu ! Enfin, jusqu'à demain…

## Dimanche 28 mars

Avec tout ça, j'ai oublié, hier, de parler à mes parents de l'invitation de Marie-Ève. Ce matin, le téléphone a sonné pendant que j'étais sous la douche. Quelques minutes plus tard, j'enfilais mon jeans quand maman a fait irruption dans ma chambre. J'ai protesté :

— Je t'ai déjà dit de frapper à la porte avant d'entrer !

Mais maman m'a annoncé :

— Le père de Marie-Ève vient d'appeler. Il t'invite…

Je ne lui ai pas laissé le temps de finir sa phrase.

— YÉÉÉÉ ! Et tu lui as dit oui, bien sûr ?!

— Mais non, pas si vite !

— Comment ça, non ?!

— Enfin, non, je ne lui ai pas dit non, mais pas oui non plus. Je voulais d'abord te demander si ça te plaisait.

— Mais évidemment !

— Et puis, a ajouté maman, je voulais prendre le temps d'en discuter avec ton père. Tu sais Alice, tes notes d'anglais, ça devient un réel problème…

Aïe! Je n'y pensais déjà plus à ces maudites notes…

— Si tu passais moins de temps sur lora-flanagan.com, tu…

— Sur lola-falbala.com, tu veux dire? Écoute, moumou, si toi et papa vous acceptez que j'aille à Ottawa, vous serez les parents les plus cool du monde! Je vous promets que je ferai tout mon possible pour me rattraper en anglais. Et puis, à Ottawa, on parle anglais, non?

— Anglais mais aussi français, a répondu maman.

20 h 15. Mes parents ont finalement dit oui, pour Ottawa! Je suis si heureuse, cher journal, que j'ai envie de bondir sur mon lit! OUI! OUI! OUI! Mais ce n'est pas le moment de mettre maman de mauvaise humeur! Alors, je me contente de bondir dans ma tête! Bon, j'appelle Marie-Ève pour lui annoncer la bonne nouvelle!

Papa a puis une photo surprise!

# Lundi 29 mars

Ce matin, j'étalais du miel sur mes toasts quand Caro m'a signalé qu'elle demanderait à maman de racheter des Crocolatos.

— Tu auras la boîte pour toi toute seule, lui ai-je dit. Moi, je n'en mange plus, des Crocolatos !

Ma sœur a rétorqué :

— Tu m'avais promis que tu continuerais à collectionner les points pour mon tee-shirt !

Horreur absolue ! Je ne pensais plus à notre entente ! Rien qu'à l'idée de croquer un Crocolatos supplémentaire, mon estomac se serre. Comment je vais me tirer de cette situation, cher journal, ça, je n'en ai pas la moindre idée…

# Mardi 30 mars

Quand on est arrivées à la maison, à 15 h 45, Caro a lancé son sac d'école à terre. Elle a annoncé :

— Je m'en vais sur la balançoire !

Maman m'a demandé comment avait été ma journée. Puis, elle m'a dit :

— Oncle Alex est passé ce matin et…

— Oncle Alex ?! l'ai-je interrompue. Oh, dommage ! J'aurais bien aimé le voir, moi aussi ! Et le message que je lui ai laissé sur son répondeur, à propos des cahiers, il l'a entendu ? Parce qu'il ne reste que quelques pages au tome 2 de mon journal intime…

— Il m'a parlé de l'Égypte, mais pas de ton message, a répondu maman. Par contre, il a laissé quelque chose pour toi sur ton bureau.

J'ai grimpé les marches de l'escalier quatre à quatre. Le paquet, emballé dans un papier brun, était rectangulaire et assez lourd. Ça devait être un très gros livre. Sans doute un livre sur l'Égypte. Eh bien non, c'était encore mieux que ça ! Imagine-toi, cher journal ! Cinq cahiers, de la même série que ceux dans lesquels j'ai écrit tes deux premiers tomes ! Un rouge, un jaune, un orange, un mauve et un bleu. Pas bleu turquoise, non, mais un très beau bleu quand même. Ils sont vraiment trop cool, mes nouveaux cahiers ! Et on peut dire qu'ils arrivent juste à point…

À mes pieds, il y avait une carte postale. Elle avait dû tomber à terre quand j'avais ouvert le paquet. On y voyait une barque avec une voile blanche. Je l'ai retournée et j'ai lu :

Chère Alice,
En rentrant du Caire (capitale de l'Égypte), j'ai écouté ton message. Alors, ce matin, je suis allé à la papeterie. On y vendait encore des cahiers comme ceux que je t'avais offerts. J'en ai pris cinq. Même si on se voit à Pâques, je te les apporte aujourd'hui. J'ai cru comprendre sur ton message que c'était urgent.

En Égypte, j'ai descendu le Nil en felouque. C'est une embarcation comme celle sur la carte. J'ai visité plusieurs pyramides. Très impressionnant! Pour se rendre dans les villages, mon guide et moi avons effectué le trajet à dos de dromadaire! La première fois que ma monture s'est relevée, je ne me sentais pas à l'aise, tout là-haut! Heureusement, je me suis vite habitué à ce moyen de transport. À bientôt! Oncle Alex.

J'ai pouffé de rire en imaginant mon oncle perché sur son dromadaire! Je lui ai tout de suite téléphoné pour le remercier. Comme il n'était pas là, je lui ai laissé un message sur son répondeur.

Après le souper, j'ai accompagné maman au supermarché. J'ai filé au rayon des céréales. Il fallait que je trouve une façon de faire changer Caroline d'idée… Pour ça, je devais dénicher quelque chose qui lui plairait encore plus que le tee-shirt de Lola Falbala. Sur une boîte de céréales au miel, il y avait bien une offre de cahier à colorier de Winnie l'ourson. Mais ça, c'est pour les petits. Ma sœur n'en voudrait pas. Au bout de l'allée, mon regard a été attiré par des boîtes avec un cochon. Avec ces céréales, on peut obtenir un yoyo géant rose fluo sur lequel est collée la photo du plus mignon des bébés cochons. Avec ses yeux mélancoliques et son groin humide en gros plan, il était irrésistible! J'ai lu le règlement de l'offre. Il suffisait d'envoyer deux rabats de boîtes de Fluo-trucs et un chèque de 4,95 $. Voilà qui allait plaire à ma sœur! Je la tenais, la solution de rechange aux Crocolatos!

J'ai déposé la boîte en question dans notre panier d'épicerie. Maman a dit :

— Des céréales fluo? C'est quoi encore, cette cochonnerie?!

Je lui ai expliqué mon problème. Elle a finalement accepté d'acheter la boîte.

À la maison, j'ai fait miroiter l'idée du yoyo-cochon à Caroline. Elle s'est extasiée devant l'image du porcelet sur la boîte de Fluo-Trucs.

— Il est tellement *cute*!

Victoire! Caro renonce à son tee-shirt de Lola Falbala à la condition que je lui prête le mien à l'occasion. Toujours pratique, elle m'a demandé :

— Et qui va payer les 4,95 $ pour le yoyo?

— Ben moi, ai-je répondu.

## Mercredi 31 mars

Monsieur Gauthier nous attendait en classe avec son chronomètre en main.

— Les amis, on commence par un volleyball de multiplication, a-t-il annoncé. Formez vos équipes.

C'est un jeu au cours duquel on doit «attraper» les chiffres et les «relancer» dans l'équipe adverse. Si l'élève à qui le chiffre est destiné l'a «attrapé» en moins de trois secondes, son équipe marque un point. Évidemment, tout le monde espère toujours se retrouver avec Bohumil, notre champion des chiffres! Moi, je suis nulle au vrai volleyball et, jusqu'en 4ᵉ année, je n'ai jamais aimé les maths. Mais, avec notre enseignant, j'ai pris goût aux jeux de chiffres.

— Depuis le début de l'année, tu as fait de gros progrès, Alice, a d'ailleurs souligné monsieur Gauthier. Et toi aussi, Simon! C'est la première fois que tu attrapes tous les chiffres. Ça mérite un galet.

En allant déposer son galet dans le coffre aux trésors, Simon a constaté qu'il était plein.

À la récré, Marie-Ève m'a dit :

— Je me demande quel privilège monsieur Gauthier nous prépare.

— Moi aussi, lui ai-je répondu. Et j'ai aussi très hâte d'être demain parce que ce sera le 1ᵉʳ avril. Je rêve de jouer un mauvais tour à Cruella, mais je n'oserais jamais. Elle me soupçonnerait tout de suite…

— Évidemment! Mieux vaut s'en tenir à nos traditionnels poissons d'avril. J'amène quelques poissons et le papier collant. Distraite comme tu es, Alice, tu serais capable de l'oublier. Je me demande ce que le roi des farceurs va encore inventer. Tu te rappelles, l'an dernier, quand Patrick-le-pas-subtil, avait collé des affiches « Toilettes bouchées momentanément hors d'usage » sur la porte des toilettes?

— Oui! On s'était tous précipités vers les toilettes du rez-de-chaussée. C'était la pagaille! Tu as raison, Marie-Ève, soyons sur nos gardes!

Ce soir, j'avais une tonne de devoirs. En plus, papa m'a interrogée sur ma leçon d'anglais. Il ne m'a relâchée que quand je savais TOUT. Pfff… Après, pour me remonter le moral, j'ai cherché des poissons d'avril rigolos sur Internet. J'en ai imprimé huit. J'ADORE le 1er avril!

## Jeudi 1er avril

Ce matin, devant nos casiers, j'ai réussi à coller un poisson rose rayé de jaune sur l'épaule d'Africa. Et en arrivant en classe, j'ai plaqué le poisson orange avec des yeux globuleux sous l'inscription 100 % COOL!, dans le dos du tee-shirt de monsieur Gauthier!

— Oh, excusez-moi! lui ai-je dit, comme si je l'avais bousculé.

Mais il n'a pas fait attention à moi. Il a annoncé:

— Je vous ai préparé un contrôle surprise sur le passé simple.

Aïe! Je ne m'attendais pas à ça! On avait commencé à étudier ce temps lundi et j'avais déjà tout oublié…

Devant nos mines déconfites, notre enseignant s'est écrié d'un air réjoui:

— Poisson d'avril, les amis!

— Poisson d'avril à vous aussi, m'sieur! s'est exclamé Jonathan. Vous avez un poisson dans le dos!

— Ça alors! Tel est pris qui croyait prendre! Et il est beau, ce poisson?

— Il est comique! a déclaré Jade.

— Alors, je le garde. Merci Alice!

— Comment savez-vous que c'est moi?

— Je suis magicien, oui ou non? a dit monsieur Gauthier en me faisant un clin d'œil.

— Et notre privilège? a demandé Jonathan.

— Oui, oui, ça s'en vient, a répondu monsieur Gauthier. Mais on va d'abord s'occuper du changement de place.

Prenant son petit sac rouge, il a sorti les premiers noms :

— Karim et Alice, devant à gauche.

Coool! Lui et moi, on s'est regardés et on s'est souri.

— Poisson d'avril! a lancé une nouvelle fois monsieur Gauthier. Ce mois-ci, vous pouvez choisir où et avec qui vous voulez vous asseoir. C'est votre privilège!

Dommage! J'avais vraiment envie de me retrouver avec Karim. Et puis, pour moi, s'asseoir où on veut, c'est pas un privilège! La plupart des autres profs de l'école nous laissent choisir notre place. Enfin, l'important, c'est que Marie-Ève et moi, on allait enfin être voisines!

On a revu le fameux passé simple. Chacun a dû inventer une phrase loufoque avec ce temps. Puis, Cruella est arrivée.

— Déjà 9 h 30! a constaté monsieur Gauthier. Les amis, je vous laisse avec madame Fattal.

— Je vous signale que vous avez un poisson ridicule sur le dos, lui a-t-elle dit d'un air pincé.

— Merci madame, mais je suis déjà au courant.

— Vous ne l'enlevez pas?!

— Non! Je garderai le poisson d'Alice toute la journée.

— Alice Aubry! a susurré cette peste. Encore elle! Voilà qui ne m'étonne pas. Cette fille n'a aucun respect pour ses enseignants. Et elle passe son temps à des stupidités plutôt qu'à…

Mais monsieur Gauthier ne l'écoutait pas.

— À plus tard ! nous a-t-il lancé joyeusement.

Lui et son poisson d'avril sont sortis dignement de la classe. Moi, je me suis recroquevillée sur ma chaise…

Cruella s'est assise au bureau. Après avoir demandé à Bohumil et à Audrey de lire la leçon, elle a dit :

— Vous allez recopier les nouveaux mots de vocabulaire dans votre cahier.

Elle s'est levée et a écrit au tableau : *The hospital.* Moi, j'ai écarquillé les yeux. Notre enseignante avait une tache blanche sur sa fesse ! Enfin, un rond blanc sur sa jupe noire, à l'emplacement de sa fesse. Qu'est-ce que ça pouvait bien être ? De la gomme, peut-être ? Pourvu qu'elle ne se rende compte de rien… Mais, à cet instant, Jonathan s'est écrié :

— M'dame, y a de la gomme sur vot' jupe !

— De la gomme ?! s'est étranglée Cruella. Comment ça ?

Elle a porté sa main à son derrière. Constatant que ses doigts étaient collants, elle s'est écriée :

— C'est dégoûtant ! Et il y en a aussi sur la chaise ! Alice Aubry ! Ici tout de suite !!!

J'ai répliqué :

— Mais je n'ai rien fait.

— Comment, rien fait ? *Qui* a la détestable habitude de mâcher de la gomme en classe ? Et *qui* profite de cette stupide coutume du 1er avril pour jouer des mauvais tours à ses enseignants ? Toi, tu colles des poissons et de la gomme? Moi, je te colle un zéro, ma fille, et je t'accompagne chez le directeur!

Oh non, pas un zéro! Mes parents risquaient de changer d'avis à propos d'Ottawa…

J'ai protesté.

— Je vous jure que ce n'est pas moi!

Marie-Ève a pris ma défense :

— Madame, Alice n'a rien fait de mal. Elle et moi on a seulement apporté des images de poissons d'avril à l'école. On avait prévu de les coller sur nos cop…

— Taratata! Je ne t'ai pas demandé ton avis, Marie-Ève.

Se tournant vers moi, elle a désigné la chaise collante de gomme. Elle m'a ordonné :

— Prends ma chaise. Monsieur Rivet pourra constater de ses propres yeux comme tu détériores le matériel scolaire! Toi Éléonore, tu surveilles la classe pendant mon absence.

J'ai soulevé la chaise du prof. Elle était lourde et encombrante. J'ai failli dégringoler dans l'escalier. Mais Cruella m'a houspillée.

— Allez, dépêche-toi!

— Eh bien, que se passe-t-il?! a demandé le directeur en nous voyant débarquer dans son bureau avec la chaise.

— Voilà ce que cette élève de 5e B a fait! a lancé Cruella d'un ton théâtral en désignant la gomme sur le siège.

Puis, elle s'est retournée et a pointé sa fesse gauche.

— Je n'ai rien fait, ai-je assuré.

— Merci, madame Fattal, a dit le directeur. Je vous laisse retourner auprès de vos élèves. Moi, j'éclaircis l'affaire avec Alice.

— Il n'y a strictement rien à éclaircir ! s'est exclamée Cruella. Alice Aubry ne tient pas compte de l'article 23 du code de vie ! Ce n'est pas la première fois que je la prends sur le fait !

— Je m'en occupe, je m'en occupe, a répété monsieur Rivet pour tenter de calmer cette furie.

Il l'a reconduite à la porte de son bureau. Le nerveux TIC-TIC-TIC-TIC-TIC de ses talons s'est éloigné dans le couloir.

Après avoir poussé un profond soupir, le directeur s'est tourné vers moi. D'un air plus ennuyé que fâché, il m'a demandé :

— Et alors, Alice, tu as voulu jouer un tour à madame Fattal et ça a mal tourné ? Il faut avouer que c'est de mauvais goût. Tu devras nettoyer la chaise et demander à tes parents de rembourser la facture de nettoyage à sec du vêtement de ton enseignante.

— Je n'y suis pour rien ! lui ai-je affirmé. Je n'ai pas mâché de gomme. La seule chose que j'ai faite, c'est coller deux poissons avec du papier collant, un sur le dos d'Africa Seydi et un autre sur celui de monsieur Gauthier. Lui, il n'était pas fâché. Mais madame Fattal est injuste ! Elle m'a donné un zéro !

— Et cette gomme, alors, elle vient d'où ? a demandé monsieur Rivet.

— Je n'en sais rien! Monsieur Gauthier est resté debout pendant la première heure. Cru… euh! l'enseignante d'anglais a été la première à s'asseoir sur la chaise, aujourd'hui.

— En effet, c'est bien mystérieux, a reconnu le directeur. Je te crois, Alice.

— Merci monsieur. Et pour le zéro?

— Je m'arrangerai avec madame Fattal.

À la récré, j'ai confié mes soupçons à Marie-Ève.

— C'est peut-être Patrick qui a collé la gomme sur le siège du prof.

— Tu as raison, Alice, c'est sûrement lui! Tu l'as dit à monsieur Rivet?

— Non, je n'allais quand même pas dénoncer Patrick. Je ne suis pas Gigi Foster, moi! Et puis, je ne possède aucune preuve.

— En tout cas, si c'est lui, c'est lâche de sa part de n'avoir rien dit à Cruella quand il a vu que ça tournait mal pour toi!

Parlant de Patrick, le voilà qui arrivait avec Eduardo… Il nous a tendu un sac.

— Vous voulez un biscuit, les filles?

— Des biscuits du 1er avril? **Non merci!** a répondu Marie-Ève, encore traumatisée d'avoir goûté les biscuits pour chien que le bouffon de la classe nous avait offert en 3e année.

Attirée comme un aimant dès qu'elle entend le mot «biscuit», Catherine Provencher a dit:

— Des biscuits?! Moi, j'en veux bien!

Elle a croqué dedans avec appétit.

— Mmmm, quel délice ! Ils sont plein de pépites de chocolat ! Je peux en avoir un autre ?

— D'accord.

Et il en a proposé aussi à Catherine Frontenac.

Les deux Catherine se sont éloignées en grignotant leurs biscuits. Marie-Ève s'est écriée :

— Oh Alice ! Tu as un poisson d'avril sur ton blouson !

Elle l'a décollé et me l'a donné. Il était non pas imprimé mais tracé au crayon feutre.

— Je parie qu'il vient de Catherine Frontenac ! ai-je dit. Il n'y a qu'elle qui dessine si bien !

Près du mur, j'ai repéré la fille la plus douée en arts plastiques de notre classe. Elle se tenait derrière Bohumil. Ma parole, elle était en train de lui coller un poisson dans le dos !

(Pas question de perdre le dessin de Catherine Frontenac dans mon BAZAR, comme dirait ma mère. Je le colle ici.)

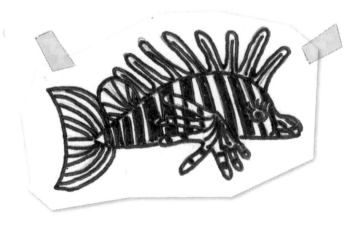

Cet après-midi, en ouvrant mon pupitre pour prendre mon cahier, j'ai poussé le pire hurlement de toute ma vie !

— HAAAAAAA !!!

Me précipitant hors de la classe, je me suis mise à sangloter convulsivement devant les casiers. La porte de la classe voisine s'est ouverte, et madame Robinson a accouru.

— C'est toi qui a crié, Alice ? Tu t'es fait mal ?

En hoquetant, j'ai dit :

— Il y a une éhhh, une énorme araignée dans mon puhhh, dans mon pupitre !

— Encore un poisson d'avril, je suppose ! a-t-elle soupiré.

Mes amis sont arrivés, suivis par monsieur Gauthier. Marie-Ève a passé son bras autour de mes épaules.

— Pauvre Alice ! On avait raison de se méfier de Patrick !

Le coupable s'est approché de moi. Il a déclaré :

— Tu nous as déjà dit que tu détestais les araignées. Mais comme tu as fait une présentation sur les mygales, je ne pensais pas que ma fausse mygale te ferait aussi peur. Désolé.

— *Yo*, on jurerait qu'elle est vivante ! a commenté Jonathan, admiratif. Elle est tellement réaliste, avec ses grosses pattes velues et ses yeux rouges ! Tu pourrais même la réutiliser à l'Halloween, Patrick !

— Le 1er avril, on a quand même le droit de s'amuser comme des grands ! a déclaré Gigi Foster en me lançant un regard méprisant. Les poissons qu'on colle dans le dos des gens, c'est tellement bébé…

— Mais tu vois bien, Gigi, que la farce de Patrick n'a pas du tout amusé Alice ! lui a fait remarquer monsieur Gauthier. Bon, les amis, on rentre en classe ? Et toi, Patrick, tu ranges cette araignée dans ton sac.

Je me suis sentie tellement ridicule, cher journal ! Tout ça m'avait ôté l'envie de coller les poissons d'avril qui me restaient… J'ai fini par les coller ce soir sur mes parents, sur Caro qui était ravie et même un sur le pyjama de Zouzou !

## Vendredi 2 avril

À 15 h 30, pour une fois, je n'ai pas dû attendre Caro à la sortie de l'école. Elle partait avec Jessica. Sa copine l'a invitée à dormir chez elle.
En arrivant dehors, j'ai été éblouie par le soleil. Il faut dire qu'on ne l'avait plus vu depuis longtemps, celui-là. Tiens, qui m'attendait à la grille ? Zouzou, qui faisait sa sieste dans sa poussette ! Et maman, bien sûr.
— Bonjour Alice ! On va passer à la boulangerie. J'ai besoin d'une baguette pour le souper.
En marchant le long du parc, j'ai déclaré à maman :
— Je voudrais déjà être à jeudi prochain ! J'ai tellement hâte de partir à Ottawa avec Marie-Ève !
— En parlant d'Ottawa, papa et moi, on a décidé de te donner un peu d'argent de poche pour ton séjour là-bas.
Super ! Parce que ma tirelire est désespérément vide…

La boulangerie-pâtisserie était envahie de lapins et de poussins en chocolat. C'est vrai qu'on est bientôt à Pâques. Hummm! Ça sentait divinement bon! J'ai réalisé que je mourais de faim. Sur le comptoir, les croissants aux amandes avaient l'air tellement appétissants! Maman m'en a offert un.

— Tu en prends un, toi aussi? lui ai-je demandé.

— Non merci. En arrivant à la maison, je boirai un verre de lait de soya.

Ma mère et son lait de soya… Comment est-il possible de préférer du lait de soya à un succulent croissant?! Ça, c'est un mystère qui me dépasse totalement!

Après avoir payé le pain et mon croissant, maman a dit:
— Regarde le beau choix de pralines! (Traduction, cher journal: des pralines, c'est le mot belge qui désigne de délicieux petits chocolats.) Le père de Marie-Ève va te recevoir pendant quatre jours la semaine prochaine. On pourrait lui offrir une de ces belles boîtes.

— Bonne idée! ai-je répondu. On la choisit maintenant?

— Non, on repassera plutôt la veille de ton départ. Comme ça, les pralines seront bien fraîches.

Sur le chemin du retour, je me suis arrêtée devant une nouvelle boutique. Sur la vitrine, il était écrit:

## La friperie du quartier
### Vêtements et accessoires mode de seconde main

Devant quelques vêtements accrochés sur de jolis cintres, il y avait un présentoir de bijoux. L'un d'eux miroitait au soleil. Je l'ai montré à maman et on est entrées dans le magasin. Mais je te raconterai tout ça demain, cher journal. Parce que papa vient de m'appeler pour le souper. Et ensuite, on va regarder un film sur la télé de mes parents, dans leur chambre.

## Samedi 3 avril

Vers onze heures moins le quart, papa est parti chercher Caro chez Jessica. Quand la sonnette de la porte d'entrée a retenti, une demi-heure plus tard, je me suis précipitée pour aller ouvrir à ma sœur. Sans lui laisser le temps d'enlever son blouson, je lui ai tendu un mini-paquet dans son emballage-cadeau rose cochon. Ravie, Caroline a demandé :

— C'est pour moi ?

— Oui, ouvre vite !

Quand elle a vu ce qu'il contenait, elle a poussé un hurlement de joie.

— OUAAAH ! Un nouveau porte-bonheur ! Merci Alice ! Il est presque aussi beau que l'autre !

Moi, je le trouve encore plus beau. Mais au moins, ma sœur est contente ! Fiouuu !

Je t'explique tout, cher journal. Donc, hier, c'était un pendentif en argent que j'avais aperçu dans la vitrine de la friperie. Il ressemblait au porte-bonheur de Caro qui avait disparu dans les égouts. Sauf que les ailes de ce papillon-ci étaient recouvertes d'une matière scintillante qui change de couleur quand on bouge le bijou. Maman était d'accord pour que je l'achète avec l'argent de poche qu'elle venait de me promettre. Avec tout ça, il ne me reste que 5 $ pour Ottawa… Tant pis, ça en valait la peine. Papa a promis à Caro qu'elle aurait une nouvelle chaîne en argent pour ses huit ans. Ainsi, elle pourra à nouveau porter son porte-bonheur au cou. En attendant, il scintille sur l'écrin de satin rouge de la boîte de Jimmy. Tout est bien qui finit bien !

Finalement, mes cousins Olivier et Félix ne viendront pas, eux non plus, chez nos grands-parents à Pâques. Ils sont invités par la famille de tante Sophie à Québec. Mais on se retrouvera tous à Covey Hill en mai pour la fête des mères !

Me voici à la dernière page de mon cahier vert. TILT… une idée s'allume dans mon cerveau. Sur la couverture, sous *Le journal d'Alice*, je vais écrire *Lola Falbala*. Et coller une belle photo. Voilà, c'est fait ! À très bientôt, cher journal. À propos, as-tu deviné quel cahier j'ai choisi pour continuer mon journal intime ? Le bleu ? Le jaune ? Le mauve ? L'orange ou le rouge ? Hé, hé, si j'étais notre enseignant, je te dirais « Surprise ! » et tu devrais patienter pour le savoir. Mais comme je ne suis pas monsieur Gauthier, j'ai envie de te le confier tout de suite : c'est dans le cahier mauve que j'écrirai le tome 3 !

Catalogage avant publication de
Bibliothèque et Archives nationales du Québec
et Bibliothèque et Archives Canada

Louis, Sylvie
Le journal d'Alice
(Grand roman)
Sommaire : t. 1. [Sans titre particulier] -- t. 2. Lola Falbala.
Pour les jeunes de 9 ans et plus.

ISBN 978-2-89512-842-7 (v. 2)

I. Battuz, Christine. II. Titre. III. Titre : Lola Falbala.

PS8623.O887J68 2010   jC843'.6   C2009-941002-8
PS9623.O887J68 2010

© Les éditions Héritage inc. 2010
Tous droits réservés
Dépôts légaux : 3ᵉ trimestre 2010
Bibliothèque et Archives nationales du Québec
Bibliothèque nationale du Canada
Bibliothèque nationale de France

ISBN 978-2-89512-842-7 (v. 2)
Imprimé au Canada
10 9 8 7 6 5 4 3 2 1

Direction littéraire et artistique : Agnès Huguet
Conception graphique : Dominique Simard
Révision et correction : Danielle Patenaude
Illustration du poisson page 154 : Laurie Hossri

**Dominique et compagnie**
300, rue Arran
Saint-Lambert (Québec)
J4R 1K5 Canada
Téléphone : 514 875-0327
Télécopieur : 450 672-5448
dominiqueetcie@editionsheritage.com
**www.dominiqueetcompagnie.com**

Nous remercions le Conseil des Arts du Canada
de l'aide accordée à notre programme de publication.
Nous reconnaissons l'aide financière du gouvernement
du Canada par l'entremise du Programme d'aide
au développement de l'industrie de l'édition
(PADIÉ) pour nos activités d'édition.

Nous reconnaissons l'aide financière du gouvernement
du Québec par l'entremise du Programme de crédit d'impôt
pour l'édition de livres – SODEC – et du Programme
d'aide aux entreprises du livre et de l'édition spécialisée.

Achevé d'imprimer en août 2010
sur les presses de Payette & Simms
à Saint-Lambert (Québec)